やさしい言語学

高橋留美・大塚みさ・杉本淳子・田中幹大 著

研究社

まえがき

この本は、言語学を初めて学ぶ人のための入門書として書かれました。書名にもあるとおり、むずかしい言葉づかいは避けて、やさしく丁寧に、言語学の基本的な事柄を解説しています。言語学とは、人間の言語を科学的に分析する学問です。世界では多くの言語が話されていますが、言語学はそれらがもつ構造を、音声・形態・文法・意味といった多角的な観点から、明らかにしようとします。

読者の皆さんは、ふだん日本語を話している方が多いと思いますが、日本語の発音にはどのような特徴があるのかを考えてみたことがありますか。また、人が言葉を使うのは相手に自分の意思を伝えるためですが、単語をでたらめに並べても通じません。意味が通る文を作るには、その言語の文法規則に従う必要があるのです。このように、言語を成り立たせているさまざまな要素を取り上げて分析し、そこに法則性を見いだそうとするのが言語学です。皆さんには、言語学を学ぶことによって、自分がふだん何気なく話している言葉のもつさまざまな特徴に、あらためて目を向けていただきたいと思っています。

残念ながら、言語学を学んでも、必ずしも特定の言語がじょうずに話せるようになるわけではありません。ですが、言語学を学ぶことによって、言語の本質に迫るというおもしろさを味わうことができます。

この本では、まず、言語学とはどういう学問かということから説き起こし、音声学・音韻論、形態論、語彙論、意味論、統語論といった言語学の中心的な分野から、語用論、社会言語学および心理言語学のように他の学問領域と重なる分野までを解説しました。入門書ですから、十分に掘り下げて解説していないところもあります。ですから、もっと深く知りたいと思った時には、各章の「読書案内」にある概説書や専門書に進んでいただきたいと思います。(この本では、その章の内容に関する文献を見つけやすいように、巻末にまとめるのではなく、それぞれの章の末尾に示しました。そして、「引用文献」には本文の説明だけでなく章末の問題に用いた文献も含めました。)また、各章末には「問題」も用意しています。学習したことが理解できたかどうかを確認するためだけでなく、さらに発展的な学習をするためにもぜひ取り組んでください。

この本は、大学の授業で教科書として活用していただくことを念頭に置いて書かれています。全 14 章なので、1 回の授業で 1 章ずつ進めると、半期でこの本を終えることができます。全 14 章で言語学の概観を見渡すこともできますが、特定の分野の章だけをお使いいただくこともできます。(1 つの分野の説明は、1 章または 2 章で完結しています。)また、やさしく解説されているので、言語学を独習するために利用することもできます。

この本の完成には、多くの方々の支えがありました。統語論の章に貴重な助言をいただいた昭和大学 大野真機先生、須田拓基先生および九州産業大学 三浦香織先生に感謝いたします。また、著者たちが勤務する大学で言語学や日本語学の授業を受講してくださった、多くの学生の皆さんから教えられたことも基になっています。

最後に、本書の出版にあたっては研究社の濱倉直子さんに大変お世話になりました。心よりお礼を申し上げます。

2021 年 5 月

著者

目　次

まえがき　iii

第 1 章　**はじめに ── ようこそ言語学の世界へ**　1

1.1　言語学とはどんな学問か ── 定義とその守備範囲　1
1.2　世界の言語はどう分けられるか ── 言語類型論　3
1.3　言語学にはどんな分野があるのか　7
1.4　言葉と文化　11
コラム1　世界の文字　16

第 2 章　**音の作り方（音声学）**　21

2.1　音はどこで作るのか　21
2.2　言語音の分類　24
2.3　「ぱ・ば・た・ふぁ」の違いは何か ── 子音の分類　25
2.4　「あ・い・う・え・お」の違いは何か ── 母音の分類　28
2.5　音よりも大きい単位　31
2.6　声の高さのコントロール　36

第 3 章　**音の使い方（音韻論）**　40

3.1　言語に音はいくつあるか　39
3.2　音素と異音　43
3.3　音を「分解」して考える　45
3.4　音の使い方のルール　48
3.5　音の組合わせにかかわるルール　49
3.6　脚で考える音のルール　51
3.7　音の使い方を探究する音韻論　53
コラム2　書き言葉と話し言葉　58

第 4 章 単語のしくみ（形態論・語彙論） 62

4.1 単語を分解してみよう ── 形態素 62
4.2 パーツを組み合わせて単語を作る ── 複合・派生 64
4.3 形を変えて単語を作る ── 逆成、縮約・頭字語化、異分析 65
4.4 ほかの言語から単語を借りる ── 借用 68
4.5 新たに単語を作り出す ── オノマトペ・新語 71

第 5 章 意味の世界（意味論 1） 75

5.1 いろいろな意味のとらえ方 75
5.2 意味の違いの見極め方 ── 同音語と多義語 76
5.3 似通った意味への広がり ── メタファー 79
5.4 隣り合った意味への広がり ── メトニミー 82
5.5 単語より長い意味の単位 ── コロケーションとイディオム 85

第 6 章 単語間の意味関係（意味論 2） 90

6.1 意味関係からみた言葉の世界 ── 上位語と下位語 90
6.2 「同じ意味」と「似ている意味」── 同義語と類義語 94
6.3 反対の意味関係はいくつあるのか ── 対義語 96
6.4 言葉を再び命名するとき ── レトロニム 98
6.5 最も典型的なメンバーとは ── カテゴリーとプロトタイプ 100
コラム3 ノンバーバルコミュニケーション 104

第 7 章 文のしくみ（統語論 1） 108

7.1 語から文へ ── 文の構造 108
7.2 文の構成要素 ── 品詞 111
7.3 文法について ── 数・人称・格・定性 111

第 8 章 文の意味（統語論 2） 120

8.1 ヴォイス 120

8.2　テンス　122
8.3　アスペクト　124
8.4　モダリティ　127
8.5　テンス、アスペクト、モダリティ　128

第 9 章　談話のしくみ（語用論 1）　131

9.1　同じ文でも違う意味　131
9.2　文脈とは何か　133
9.3　「あれ」「これ」は何を指すのか ── 直示・直示表現　135
9.4　談話とは何か　138
9.5　まとまりを示す方法　139

第10章　会話のしくみ（語用論 2）　146

10.1　言葉には行為が伴う ── 発話行為　146
10.2　Can you pass me the salt? に Yes! と答えるだけではなぜだめか　148
10.3　会話の大原則は協力し合うこと ── 協調の原理と 4 つの格率　149
10.4　話し手と聞き手の間の会話のルール ── 会話分析　154

第11章　言語のバリエーション（社会言語学 1）　161

11.1　社会言語学とは　161
11.2　方言　162
11.3　言葉の使い分け ── 言語選択　168

第12章　言葉と変化（社会言語学 2）　174

12.1　言語変化　174
12.2　言語接触　176
12.3　言語政策と言語計画　177
コラム4　言語接触　183

第13章 文理解（心理言語学 1） 186

13.1 文を理解するということは何を意味するのか 186
13.2 文を理解するときのしくみ ── 構文解析 187
13.3 文の理解ができないときの具体例 ── あいまい文と袋小路文 188
13.4 文が理解できないときに起こること ── 再解析 189
13.5 文を理解する具体的な方法論 191
── 袋小路モデルと制約依存モデル
13.6 文を理解するためのヒントとは何か 196
コラム5 第一言語獲得と第二言語習得 203

第14章 文産出（心理言語学 2） 206

14.1 人はなぜ単語や文を話すことができるのか ── 語や文の産出 206
14.2 言い間違いが起きてしまうのはなぜか 208
14.3 文を話すことができるしくみ ── 文産出のモデル 213
14.4 「名前が思い出せない」のはなぜか 215
── 舌先現象のデータからわかること
14.5 「何かを繰り返す」ことからわかる、人の発話方法 216
── 心理実験とプライミング

解答 221
索引 236
著者紹介 241

第 1 章　はじめに ―― ようこそ言語学の世界へ

この章で学ぶキーワード

ラング、パロール、言語類型論、祖語、語族、語派、孤立語、膠着語、屈折語、抱合語、音声学、音韻論、形態論、統語論、意味論、語用論、歴史言語学、比較言語学、対照言語学、社会言語学、応用言語学、辞書編纂学、心理言語学、コーパス言語学、言語相対論、サピア・ウォーフの仮説

1.1　言語学とはどんな学問か ―― 定義とその守備範囲

この本を手に取ってくださった皆さんは、これから言語学を学ぶ方が多いかと思います。言語学とは言語に関する学問だということはいうまでもありませんが、ほかに言語学についてどんな印象をもっているでしょうか。

(1)　言語学は英語についての学問である。
(2)　言語学を学ぶには、英語ができなければならない。
(3)　言語学を学ぶと、外国語が自由自在にあやつれるようになる。
(4)　言語学を学ぶ人は、辞書 1 冊分の内容が頭に入っている。
(5)　言語学は、文字として記録されたものだけを研究対象とする。
(6)　言語学は、むずかしくて退屈な学問である。

(1) 言語学の対象は英語だけではありません。人間の言語であればすべてが研究対象となります。もちろん第一言語（母語）が研究対象になることもあれば、第二言語や第三言語（その人にとっての外国語）が研究対象となる場合もあります。そしてラテン語のように今では使われなくなった言語（死語）や話し手が少ない言語（少数言語）を対象にする場合は、研究者がその言語を話せない場合もあり

えます。したがって、(2)言語学を学ぶには英語ができなければならない、も、研究対象が英語の場合以外にはあてはまりません。さらには(3)言語学を学ぶと外国語が自由自在にあやつれるようになる、とはかぎりません。言語学と一般的な語学とは全く別のものだからです。

(4)言語学を学ぶ人は辞書１冊分の内容が頭に入っている、ともかぎりません。ある地域、時代、作品など、一定の範囲における単語の集合を「語彙《ごい》」と呼びますが、たとえば片手で持てる小型の国語辞書に収録されている約 7〜8 万語は一般成人が理解できる語彙数の平均を大きく上回っています。もちろん第一言語の語彙を専門的に研究している人は一般の人よりも多くの語に触れる機会がありますが、だからといってその分語彙が豊富だとは言いきれません。

(5)言語学は文字として記録されたものだけを研究対象とする、わけではありません。言語学においては音声言語の研究が重要な位置を占めていることに加え、文字をもたない言語も少なくないのです。世界の言語の百科事典といわれる Ethnologue 第 24 版(2021 年 2 月)では現存する言語の数は 7,139 で、そのうちの 3,074 言語はおそらく文字をもたないと述べています。文字をもたない言語では音声言語を研究することになりますが、一方、現存しない言語についてはもちろん文字資料にたよらざるをえません。

最後の、(6)言語学はむずかしくて退屈な学問である、については、本書を読んだ皆さんに「そんなことはない」と実感してもらえるよう願っています。

では言語学とは具体的に何を対象とした学問なのでしょうか。スイスの言語学者ソシュール (Ferdinand de Saussure) が分類した言語の 2 つの側面に沿ってみていきましょう。日本語を母語とする人は日ごろ日本語が通じなくて困るという経験をすることはありません。それは、日本語でコミュニケーションするための知識やルールをお互いに共有しているからです。このように、どの言語であってもそれぞれの母語話者の間で共有されている言語的知識のことを**ラング** (langue) と呼びます。

一方、ラングに基づいて実際の場面で発せられる言葉を**パロール** (parole) と呼びます。ソシュールはこの二者の関係を示すのに音楽を引き合いに出して、ベートーベンのソナタや交響曲をラング、その演奏をパロールにたとえて説明しています。そして言語学の研究対象はラングであるべきで、パロールは副次的あるいは補助的な存在だと述べています。

しかし、ラングとパロールは境界線がはっきりしない場合があります。日本語の「ら抜き言葉」を例に考えてみましょう。通常「見る」「食べる」などの一段動詞の可能表現は、「見られる」「食べられる」のように助動詞「られる」を使います。このとき「られる」の代わりに「れる」を用いて「見れる」「食べれる」ということで、本来あるべき「ら」が脱落したのが「ら抜き言葉」です。これは現段階では誤用として新聞などでは用いられていませんが、話し言葉では、世代にかかわらず広く使用されているのが実態です。つまりパロールとして観察することができるのです。

ら抜き言葉が普及した理由の一つに、助動詞「れる」「られる」のもつ意味用法の区別が指摘されることがあります。受け身、可能、自発、尊敬の 4 つの用法のうち、特定の文脈で用いられる自発、文型から自明となる受け身を除いた、可能と尊敬の区別をするために、可能の場合は「ら抜き」にすることが有効だという弁護論です。この理由でら抜き言葉が普及した場合、ら抜き言葉が誤用ではなくなる日が来るかもしれません。その場合はもはやパロールではなくラングとして扱われることになります。

その他、独特な比喩表現が固定化する場合なども含めて、ラングとパロールの区別は常に明確とはいえません。また、ここで気をつけなければならないのは、ラングは必ずしも規範とイコールではないということです。ら抜き言葉の例で考えると、従来 誤用とされていたものが用法の区別のために機能するようになった場合に、ラングとして位置づけられることになるわけです。

先ほど、言語学の研究対象はラングであるべきだというソシュールの主張を示しましたが、それでは、パロールは言語学の対象にはならないのでしょうか。いいえ、そうではありません。1.3 で紹介し、第 11 章と第 12 章で取り上げる社会言語学のように、個人がもっている言語への意識や個人の言語使用を対象とする研究分野もあります。

1.2　世界の言語はどう分けられるか —— 言語類型論

地球上で使われている言語はいったいどのくらいあるでしょうか。先に触れた Ethnologue によれば 7,139 言語ということですが、実は何を 1 つの言語として数えるのかという判断は容易ではありません。ある言語学者が別々の言語とみなすものを、別の言語学者は同一言語の方言として扱うことがあるのです。皆さんも東北方言の話者と沖縄方言の話者の間では意思疎通がむずかしいというエピソードを聞いたことがあるのではないでしょうか。また中国語というと1つだと思いがちですが、現代中国語は5〜8の方言に大別されていて、なかでも北京語と広東語とでは発音、語彙に加えて文法面にも差異があり、英語とドイツ語の差よりも離れているといわれることがあるほどです。

一方、どんなに似ている言語でも、異なった国で使われていて、互いに同じ言語だという意識がなければ別の言語とみなされます。スウェーデン語、デンマーク語、ノルウェー語は方言程度の違いだといわれていて、互いに話が通じることがよく知られています。また、別の言語とみなされる理由は必ずしも言語的特徴の相違だけではありません。最初は複数の民族に共有されていた1つの言語が政治的な理由で分裂していくケースもあるのです。たとえば、かつてのユーゴスラビア連邦でセルビア・クロアチア語として用いられてきた言語は、連邦崩壊後にセルビア語とクロアチア語に分かれました。さらに連邦崩壊後独立したボスニア・ヘルツェゴビナが公用語とするボスニア語、また2006年にセルビアから独立したモンテネグロの公用語モンテネグロ語、と新しい言語が生まれました。それらの言語はその宗教文化によって主として用いる文字(キリル文字かラテン文字か)が異なっていたり、言語文化によって語彙が違っていたり、地域によって母音が違ったりはしますが、文法面などの言語的特徴は共通しています。そのため、それぞれの言語の話し手が相互に理解できる度合いも高く、「こんにちは」「さようなら」「ありがとう」といった日常の挨拶もほとんど同じです。

以上のような政治的理由での増減のケース以外に、グローバル化や少数民族の人口減などによって絶滅の危機にさらされている言語も少なくない点を考慮すると、言語の数は流動的なものだということがわかるでしょう。

次に、世界の諸言語をグループ分けする方法についてみていきましょう。これには2つの方法があります。1つ目は、言語の系統関係に基づく分類方法です。18世紀後半、英国の裁判官であり東洋学者でもあったジョーンズ(Sir William Jones)は、古代インドの文章語であるサンスクリットと、ギリシャ語やラテン語との間に偶然とは思えない類似性があること、そして共通の祖先である既に消滅した言語(**祖語** (protolanguage))をもつであろうことを発表しました。それが契機となって、言語の歴史的な親縁関係を証明し、親縁関係にある言語の変化を記録する比較言語学がインド・ヨーロッパ語の領域において確立されました。この比較言語学の研究の成果によって複数の言語が同じ祖語をもっていることが認定された場合に、それらは親族関係にある同系の言語で、**語族**（language family）を形成しているととらえます。以下は、主な語族とそれに属する言語の一例です。

表1　主な語族

インド・ヨーロッパ語族（英語、フランス語、ロシア語、ヒンディー語）
ウラル語族（フィンランド語、ハンガリー語、エストニア語）
エスキモー・アレウト語族（イヌイット語、アレウト語）
オーストロネシア語族（マレー語、タガログ語、ハワイ語、マオリ語）
オーストロアジア語族（ベトナム語、クメール語、サンターリー語）
シナ・チベット語族（中国語、チベット語、ミャンマー語）
セム語族（アラビア語、ヘブライ語、アッカド語、フェニキア語）
ドラビダ語族（タミル語、テルグ語、マラヤーラム語）
ニジェール・コンゴ語族（スワヒリ語、コーサ語、イボ語）

インド・ヨーロッパ語族の話者は30億人を超え、この語族に属する言語は400以上といわれます。語族の下位グループを**語派**（branch）と呼びますが、インド・ヨーロッパ語族はインド・イラン語派、イタリック語派、ゲルマン語派など10程度の語派に分けられます。もっともこうした分類には諸説あり、系統関係が認定されていないものまでさまざまですが、語族は100くらいあるといわれています。

ところで、日本語はどの語族に属するのでしょうか。これについては多くの議論がくりひろげられてきましたが、これまでのところ同系の言語は見つかっていないため、系統もわからず、どの語族にも属していないということになっているのです。

2つ目の分類方法は、言語の構造的な特徴に基づく類型分類です。系統関係や時代、地理的関係を限定せず、さまざまな言語の構造的特徴をもとに分類を行ないます。19世紀の古典的な類型論では形態的特徴に基づき、特に単語の語構造に注目してすべての言語を以下の4つに分類することを試みました。

表 2　古典的類型論

孤立語（isolating language）

単語は常に一定の語形を保ち、語順によってほかの語との文法的関係を示す言語（例：中国語、ベトナム語）

膠着語《こうちゃくご》（agglutinative language）

語幹に特定の機能や意味をもつ要素をつなげることで、文法的関係を示す言語（例：日本語、韓国・朝鮮語、トルコ語）

屈折語（inflectional language）

単語の語形が変化する（活用する）ことで、文法的関係を示す言語（例：ラテン語、ロシア語、ドイツ語）

抱合語（incorporating language）

1 つの単語の中に、さまざまな文法的関係をもつ要素を含んだ言語（例：アイヌ語、チュクチ語）

膠着語の「膠」は「にかわ」なので、「膠着」には接着剤でつけるという意味があります。日本語は膠着語に分類されますが、たとえば「行かせられないようだった」は動詞「行く」に「せる」（使役）、「られる」（可能）、「ない」（打消し）、「ようだ」（推量）、「た」（過去）という 5 つの助動詞が「接着」されてできています。一方、英語は古くは屈折語としての特徴が強い言語でしたが、現代ではほかの類型の特徴も観察できます。たとえば複数形を作る -s（*beans*）、形容詞形や副詞形を作る -ly（*quickly*、*monthly*）は膠着語的ですし、名詞や動詞の語形変化が単純化されて文法的な意味を語順にたよるようになって、孤立語的な性質ももつようになりました。また、孤立語の代表例とされる中国語ですが、孤立語的なのは古典語の場合だけで、現代中国語には膠着語に近い性格もみられます。

このような歴史的な変遷を含めると、1 つの言語が複数の類型にあてはまる特徴を合わせもつことも多いため、厳密にどの類型かに分類することはむずかしいといわれています。

これに対し現代の類型論では、形態だけでなく音韻や意味、統語などさまざまな観点から特徴を見いだし、相互関係を解明していくのです。この発端となったのが、1960 年代に米国の言語学者グリーンバーグ（Joseph H. Greenberg）

が行なった語順による類型化です。この新しい言語類型論の目的は、世界中の言語を分類することよりも、言語の普遍的な特徴を探究することとされています。たとえばS(主語)、O(目的語)、V(動詞)の順序をもとにすると、以下のような分類ができます。

表3　語順による主な類型

SOV 言語	日本語、韓国・朝鮮語、モンゴル語、トルコ語、ヒンディー語
SVO 言語	中国語、タイ語、英語、フランス語、スワヒリ語
VSO 言語	アラビア語、サモア語、ウェールズ語

この中で最も多い類型はどれだと思いますか。「日本語は最後まで聞かないと肯定か否定かわからないからあいまいだ」といわれがちなので、日本語を含むSOV 言語は少数派だと予想するかもしれませんね。しかし米国の言語学者トムリン（Russell S. Tomlin）が 402 言語を対象に調査した 1986 年の統計結果によれば、SOV 言語が全体の約 45%、SVO 言語はそれに次ぐ約 42%、そしてVSO が 9% を占めているのです。

SVO 言語と VSO 言語では前置詞を使いますが、日本語が属する SOV 言語では目的語のあとに動詞が来るため、後置詞を使います。こうした点もそれぞれの類型で共通しています。

1.3　言語学にはどんな分野があるのか

言語学にはさまざまな分野があります。古くから継承されている分野もあれば、最近急速に進展した新しい分野もあります。しかし、生物を哺乳類、鳥類、両生類などと分類するのとは異なり、言語学の研究分野は単一の基準では分けることができません。そこで、以下では、これらを次ページの表 4 のように大きく 2 つに分けてみていくことにします。

言語学の中核に位置するのが、言語を構成するさまざまな要素について研究する分野です。言語の音《おん》を研究する分野として**音声学**（phonetics）と**音韻論**（phonology）があります。音声学は世界中でコミュニケーションの手段として用いられる音声を対象とする研究分野で、その歴史はきわめて古く、紀元前に

表 4　言語学の分野例

言語学	構成する要素を研究するもの	音声学・音韻論
		形態論
		統語論
		意味論
		語用論
		文字論
	ほかの事象との関係を研究するもの	歴史言語学
		比較言語学
		対照言語学
		社会言語学
		応用言語学
		心理言語学
		コーパス言語学

さかのぼります。さて、ここで、皆さんが言葉を話すときの過程を振り返ってみましょう。たとえば、友だちに向かって「おはよう」という音声を発すると、これが音波となって空気中を伝わり、それが聞き手である友だちの耳に届いて、鼓膜を振動させることで音声として理解されます。音声学には、今述べたひとつひとつの過程に対応する さらに細かい研究分野が設けられています。このうち、音声の物理的な性質を工学的機器で分析する音響音声学の研究成果は、機械による自動音声認識や犯罪捜査などに活用されています。

ところで、音声には個人差があるうえ、同一人物の音声でも常に同じように発せられるとはかぎりません。それでも特定の言語において音《おん》の違いが意味の区別に関係しているかどうか、またそれがどのようなルールやシステムにのっとっているのかを分析する視点が必要です。これを行なうのが音韻論です。音韻論では音声ではなく音素という抽象的な単位に注目し、異なった言語間で比較したりします。たとえば、日本語では母音の音素は「ア」「イ」「ウ」「エ」「オ」の 5 つですが、韓国・朝鮮語では日本語の「ウ」「エ」「オ」に対応するような音素がそれぞれ 2 種類あって、意味の違いに関与しています。

音素はいちばん小さい言語単位ですが、その次に小さいのが形態素です。形態素は意味をもつ最小単位で、それによって単語が構成されます。このような単語の内部構造を研究対象とするのが**形態論**（morphology）です。形態論では、ある語が「夏」「人間」のように単一の形態素でできているのか、あるいは複数の形態素が複合したり（「読書」＝「読」＋「書」）派生したり、（「高さ」＝「高い」＋「さ」）してできたのかといった問題を扱います。さらに、新しい単語がどのように作り出されるかという語形成についても研究対象としています。

そして、形態素や単語がどのようなルールにしたがって配列されているのか、つまり文や句の内部構造を研究するのが**統語論**（syntax）です。構文論と呼ばれることもあります。「おはよう」「こら！」「止まれ」「熱い！」のように１つの単語だけでできた文もありますが、多くは句や節が組み合わさって文となっています。たとえば「『言語学』だけが必修科目ではない」という文を、どのように理解しますか。「言語学」は必修科目でしょうか、あるいは必修科目ではないのでしょうか。ここでは「ない」が文のどの要素と結びついているかが問題になることは皆さんにもすぐにわかると思います。統語論では、このような文の構造を考察します。

以上の分野が特定の言語単位を研究対象とするのに対し、**意味論**（semantics）では単語や形態素、文が表わす意味を研究対象とします。言語学における意味論では、意味とは何かという定義を行ない、単語や文のそれぞれについて分析していきます。単語の意味については、類義、対義、多義、そして意味の変化や拡張などが扱われます。たとえば、類義語である「上がる」と「上る」を分析して、それらの違いをはっきり説明しようとします。文の意味については、単語や形態素といった文を構成する要素の組合わせに注目します。意味論の範囲は広く、論理学や数学を使って言語の形式的性質を研究する形式意味論や、人間の心のしくみに注目した認知意味論などに分けられます。

実際に言語が使われる場面で、単語や文がどういう形式や意味で使われるのかを文脈との関係から考えるのが**語用論**（pragmatics）です。「今日は夕方から５時間バイトなんだ」は「今夜の予定は？」という質問に対する直接的な返答ですが、「どうしてそんなに急いでいるの？」「帰りにお茶しない？」「夕飯何食べるの？」といった質問に対する返答にもなります。そして、「明日のプレゼンがんばってね」という応援の発話に対して「バイトがあるから準備の時間がないんだよね」というあせる気持ちを伝える返答としても問題なく成立します。なぜでしょうか。このように文の意味と発話の意図との関係を探ったり、両者のギャップを埋めるために聞き手がどのような推論を行なっているかを究明したりすることも、語用論の研究対象となっています。

そして、文字論も言語を構成する要素を研究する分野です。文字に対する関心には長い歴史がありますが、音声を対象とする研究分野に比べるとその研究分野や用語は十分に確立されているとはいえません。文字論では、漢字やアルファベットなどの文字体系とそれぞれの伝播・変遷の関係、そして字形の変化に加え、文字の性格や役割・機能などが研究されています。

それでは今度は、言語とそのほかの事象との関係を研究する分野をみていきましょう。

言語学はそのアプローチのしかたから、たとえば現代など一定の時期に使用される言語を対象にする共時言語学と、言語の変化に注目する通時言語学とに分けられます。通時言語学は**歴史言語学**（historical linguistics）とも呼ばれます。歴史言語学の歴史は長く、かつては過去の文献学的な研究が中心でしたが、しだいに現在使われているさまざまな言語や方言にまで守備範囲を広げ、その結果、言語地理学や方言学の誕生につながりました。また、共通の起源をもつ言語どうしを比較することによって、それらが歴史的にどのようにかかわっていたのかを探る**比較言語学**（comparative linguistics）にも発展しています。

言語を「比べる」という点では比較言語学と共通していますが、その研究目的やアプローチ方法、研究対象となる言語が異なるのが**対照言語学**（contrastive linguistics）です。対照言語学では２つ以上の言語あるいは方言の間にみられる共通点や相違点を音声から単語、文にいたるまで幅広く研究対象として、それぞれの言語の特性を明らかにします。対照言語学の研究成果は外国語教育、特に第二言語習得における誤用分析などに活用されます。

社会言語学（sociolinguistics）は、文字どおり社会と言葉の関係を探る学問領域です。１つの言語においても、その言語の使い手の属性、たとえば年齢や性別、地域や職業等によって言葉にさまざまな変異（バリエーション）が生じます。そこでどのような人が、どのような状況でどのように言葉を選ぶのかといった関係を解明しようとするのが社会言語学です。そしてその守備範囲は、敬語や若者言葉、男女による言葉の違い、方言など、皆さんにとっても身近で興味深いテーマを含め、多岐にわたります。

応用言語学 (applied linguistics) は、言語学の研究成果をほかの諸分野に応用した領域です。その代表格が外国語教育です。英語教育や日本語教育といった第二言語教育におけるさまざまな手法には、言語学の理論や研究の成果が反映されています。そのほか**辞書編纂学** (lexicography) にも、形態論や意味論、後述するコーパス言語学の研究成果が応用されています。

心理言語学 (psycholinguistics) は言語心理学とも呼ばれ、人間がどのように母語を獲得し、外国語を学習するのか、また文を理解したり産出したりするプロセスでどのような心的処理が行なわれているのかといった問題を扱います。まさにその名のとおり、心理学と言語学との中間に位置する学問領域であるため、実験的な手法が不可欠です。そして、なかでも言語産出に関する研究成果は、言語習得から失語症等の言語障害まで幅広く応用されています。

また、比較的新しい研究分野として**コーパス言語学** (corpus linguistics) があります。コーパスとは、実際に使用された書き言葉や話し言葉の例を収集し、コンピュータで自在に検索できるように整えた言語資料のことです。コーパス言語学ではこのコーパスを活用して言語の分析を行ないます。そして、その研究成果は言語教育や辞書編纂などに幅広く応用されています。

1.4　言葉と文化

最後に、言葉と文化とのかかわりについて考えてみましょう。日本では雪の呼び方にいくつか種類があることは、皆さんもご存じでしょう。たとえば、水分が多く、雨に近い状態になった雪は「みぞれ」と呼びます。また、やはり水分を多く含み、大きな雪片になって降ってくる雪は「ぼたん雪」と呼ばれることがあります。これは「ぼたん」という単語が「雪」と合わさってできた複合語ですが、大きな雪片がボタンの花びらの形に似ていることから由来するという説もあり、「牡丹雪」と書くこともあります。

極北地方に住むイヌイットの人たちが話している言語には、雪を表わす語がたくさんあるといわれています。実際よりも誇張して伝えられているようですが、寒く厳しい気候の中で暮らし、雪が生活に深くかかわる存在である人たちにとっては、雪をその状態によって細かく分類して呼ぶ必要があったのかもしれません。

言語には範疇化のはたらきがあるといわれています。範疇はカテゴリーともいい、同じ性質のものが含まれる範囲のことです。広く「雪」と呼ばれているものに対してその性質に基づいた名称をつけて分類することも範疇化です。世の中にあるものをどのように切り分けるか、つまり、どのような特徴に基づいて範疇化していくかには、話し手の文化が関係しています。言語によって、何を１つの範疇にまとめて考えるかは違っているのです。日本でも特に北国では、極北地方に住んでいるイヌイットの人たちほどではなくても、雪は身近な存在です。そのため、日本語でも雪をその形や性質によって分類し、呼び分けるようになったのかもしれません。

わたしたちはふだん言葉でものを考えています。そのため、わたしたちの思考は言語に支配されていて、使う言語が違えば、ものの見方や考え方が異なるのだという主張があります。このような考え方を**言語相対論**といいます。また、この考え方を主張した言語学者にちなんで**サピア・ウォーフの仮説**（Sapir-Whorf hypothesis）とも呼ばれています。

言葉が人のものの見方に影響を与えることは確かにありますが、あるものを指す言葉がないからといって、そのもの自体を認識できないとか、区別できないということはありません。たとえば、皆さんに身近な英語での例を挙げると、英語には１語だけで「湯」を表わす単語はありませんが、英語の話し手が水とお湯を区別できないということは、当然のことながらありません。「湯」のことは、水を表わす water に「熱い」という意味の hot をつけて、hot water としているだけなのです。

数を表わす言葉のことを専門用語で数詞といいますが、数詞をみるとその文化圏では何進法を基準にしていたのかに気づくことがあります。筆者が大学に入ってフランス語の授業を取ったときのことです。数詞は基本的な語なので、全部暗記するしかないと思っていたのですが、フランス人の先生が 80 を quatre-vingts（注：quatre は 4、vingt は 20）と発音したのです。これは、80 を「4×20」ととらえるということです。このように、フランス語の数詞では二十進法が部分的に入っていて、ふだんから親しんでいる十進法の数え方と違うことを新鮮に感じました。

このフランス語での 80 のとらえ方からもわかるように、物事のとらえ方や表現のしかたには、それぞれの言語の背景にある文化や歴史が影響しているのです。

問題

1.　以下の文のうち、正しい記述をすべて選んでください。
- (1) 言語学では、文字をもたない言語は研究の対象とはしない。
- (2) 言語学の研究対象は規範的な言葉づかいに限定されている。
- (3)「夏」という言葉から連想するのは海か花火かといった違いは、パロールに分類される。
- (4) 言語と方言の区別を行なうのは容易ではない。
- (5) ある日突然新しい言語が生まれることはありえない。
- (6) 古典的類型論では 1 つの言語が複数の類型に分類されることもある。
- (7) 世界で最も話者数が多いのは SOV 言語である。

正しい記述は＿＿＿＿＿＿＿＿＿＿＿＿＿＿＿＿

2.　以下の(1)～(5)は、言語学のどの分野で扱われる問題でしょうか。
- (1) 子どもは外国語をすぐに覚えるというけど、8 歳でアメリカに渡ったいとこは英語が流暢に話せるのに、13 歳でイギリスに引っ越したわたしはどうしてうまくしゃべれないのだろうか。
- (2)「ビルが建てられた」と「雨に降られた」で、後者に「迷惑」のニュアンスが感じられるのはなぜだろうか。
- (3) パソコンで「雰囲気」の漢字変換ができなかったのは、「ふんいき」を「ふいんき」と入力していたからだった。この違いはどのように説明できるだろうか。
- (4)「野球帽がビールをお代わりだってさ」が問題なく通じるのはなぜだろうか。
- (5) 韓国の留学生が「薬を食べる」と言っていたけど、日本の薬とは種類が違うのだろうか。

(1) ____________________　(2) ____________________

(3) ____________________　(4) ____________________

(5) ____________________

読書案内

風間喜代三（1993）『印欧語の故郷を探る』（岩波新書）岩波書店.

風間喜代三・上野善道・松村一登・町田健（2004）『言語学（第 2 版）』東京大学出版会.

加藤重広（2019）『言語学講義 ── その起源と未来』（ちくま新書）筑摩書房.

黒田龍之助（2004）『はじめての言語学』（講談社現代新書）講談社.

斎藤純男（2010）『言語学入門』三省堂.

斎藤純男・田口善久・西村義樹（編）（2015）『明解言語学辞典』三省堂.

佐久間淳一・加藤重広・町田健（2004）『言語学入門 ── これから始める人のための入門書』研究社.

佐々木瑞枝（2010）『日本語を「外」から見る ── 留学生たちと解く日本語の謎』（小学館 101 新書）小学館.

鈴木孝夫（1990）『日本語と外国語』（岩波新書）岩波書店.

東京外国語大学語学研究所（編）（1998）『世界の言語ガイドブック〈1〉 ヨーロッパ・アメリカ地域』三省堂.

東京外国語大学語学研究所（編）（1998）『世界の言語ガイドブック〈2〉 アジア・アフリカ地域』三省堂.

ピンカー，スティーブン（著），椋田直子（訳）（1995）『言語を生み出す本能（上・下）』（NHK ブックス）NHK 出版.

ピンカー，スティーブン（著），幾島幸子・桜内篤子（訳）（2009）『思考する言語 ──「ことばの意味」から人間性に迫る（上・中・下）』（NHK ブックス）NHK 出版.

町田健（2004）『ソシュールのすべて ── 言語学でいちばん大切なこと』研究社.

引用文献

Tomlin, Russell S. (1986) *Basic Word Order (RLE Linguistics B: Grammar): Functional Principles*. Beckenham, Kent: Croom Helm.

Whaley, Lindsay J. (1997) *Introduction to Typology: The Unity and Diversity of Language*. Los Angeles: SAGE publications. (リンゼイ・J・ウェイリー(著)，大堀壽夫・古賀裕章・山泉実(訳) (2017)『言語類型論入門 ── 言語の普遍性と多様性』(岩波オンデマンドブックス) 岩波書店.)

Ethnologue: Languages of the World (24th edition) https://www.ethnologue.com/enterprise-faq/how-many-languages-world-are-unwritten-0 (2021 年 4 月 17 日確認)

コラム 1 世界の文字

世界にはさまざまな文字があります。現在使われている文字と、過去に使われていた文字を合わせれば、相当な数になるでしょう。しかし、すべての言語が文字をもっているわけではありません。また、対照的に複数の文字体系を用いる日本語のような言語もあります。ちなみに日本語の 3 つの文字体系のうちの平仮名と片仮名は日本語でしか使用されていません。その一方で、**ラテン文字**のように多くの言語で用いられる文字もあります。こうしたことをふまえて考えると、現在使われている文字の種類はせいぜい 50 前後程度ではないかといわれています。

世界の文字は、大きく分けると**表音文字**と**表語文字**とがあります。表音文字は言語の音だけを表わすもので、さらに平仮名や片仮名のような音節文字と、ラテン文字のような音素文字とに分けられます。表語文字はひとつひとつの文字が原則として単語に相当するもので、その代表例は漢字です。

ところで、表音文字のラテン文字も、その起源は表語文字である古代エジプトの象形文字にさかのぼります。現在は個々の文字と意味とが結びついていない文字も、もとをたどればすべていずれかの象形文字や絵文字、つまり表語文字に行き着くといわれています。ただしそれぞれの文字のたどったルートは一通りではなく、少し複雑に入り組んでいます。歴史を振り返ってみましょう。

四大文明の共通点の一つに文字の発明が挙げられます。エジプト文明では**ヒエログリフ**、メソポタミア文明では**楔《くさび》形文字**、インダス文明では**インダス文字**、中国文明では**甲骨文字**が発明されていますが、未解読のインダス文字以外は、図 1〜3 に示すように、現存するいずれかの文字の起点となっています。

ヒエログリフは、古代エジプトの象形文字です。エジプトの伝統的な技法に従って描かれ、記録のためだけでなく装飾的な効果としても使われています。これが**アラビア文字**や**ギリシャ文字**を経てラテン文字や、ロシア語表記に用いる**キリル文字**に発展していきました。さらには**タイ文字**などの東南アジアの諸

図１　文字の系統１（ヒエログリフ）

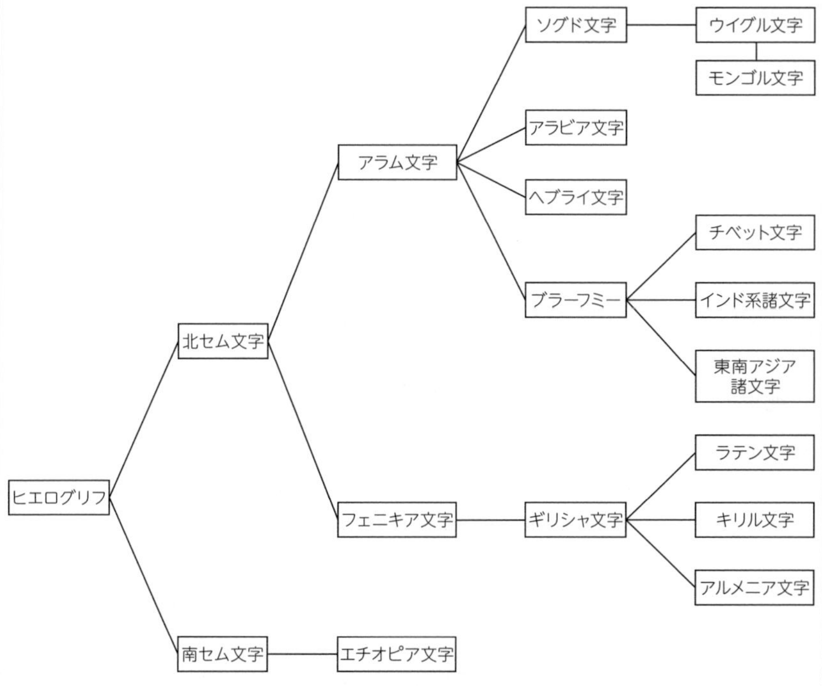

（『世界の文字の図典』p. 5「文字の系統図」をもとに作成）

文字や、**チベット文字**にまで発展していることは、今の字形を比較すると信じがたいことでしょう（図１参照）。

メソポタミア文明の賜物が楔形文字です。紀元前 3000 年ごろから紀元前１世紀ごろまでシュメール人からアッカド人に受け継がれて使われていた楔形文字も、始まりは絵画的な象形文字で、古代エジプトの象形文字の発明とほぼ同時期だったと考えられています。専用の葦《あし》のペン「スタイラス」が考案され、これを粘土が柔らかいうちに押しつけて書くため、一画目が三角形の楔の形になりました（図２参照）。

紀元前 1300 年ごろから紀元前 1000 年ごろにかけて使われたといわれる

図２　文字の系統２（楔形文字）

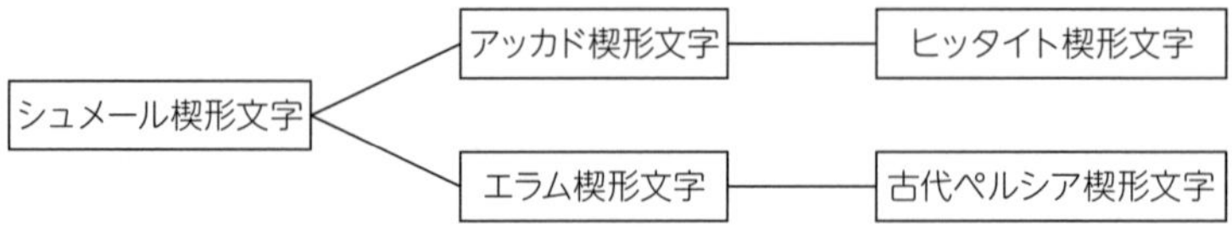

（『世界の文字の図典』p. 5「文字の系統図」をもとに作成）

甲骨文字は、亀の甲羅《こうら》や獣の肩甲骨に小刀で傷をつけて刻まれたもので、鋭い直線を組み合わせた形が特徴的です。中国文明が生んだ甲骨文字は、その後 漢字として形を整えていきます。やがて隣接する朝鮮、ベトナム、そして日本へも影響を与えます。日本ではさらに９世紀に漢字をもとにした仮名が発明されました。

また、北方の**契丹《きったん》文字**、**女真《じょしん》文字**や西方の**西夏《せいか》文字**は漢字を模して作られました。漢字はほかの古代文字と異なり、現代も使いつづけられている唯一の存在といえます（図３参照）。

このほか、朝鮮半島で用いられるハングルは、15世紀に創製された文字として知られますが、音素文字の原理や構成は、モンゴル語などの表記に使われた**パスパ文字**や漢字にヒントを得たという説があります。

図３　文字の系統３（甲骨文字）

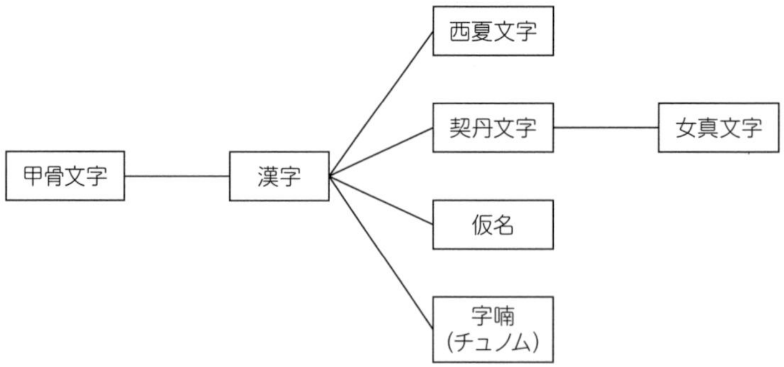

（『世界の文字の図典』p. 5「文字の系統図」をもとに作成）

さて、ここまでは文字の歴史をみてきましたが、書字方向（文字を書き進める方向）もさまざまです（表１参照）。

表１　書字方向

書字方向		文字例
横書き	①左横書き（左 → 右）	ラテン文字、キリル文字
	②右横書き（右 → 左）	アラビア文字、ヘブライ文字
縦書き	③右縦書き（右 → 左）	漢字、仮名、ハングルなどの本来の書法
	④左縦書き（左 → 右）	モンゴル文字、ウイグル文字

なお、③と④は上から下への縦書きですが、下から上へと縦書きする文字もあります。左下から書き始めるのがフィリピンのハヌノオ・マンヤン族が用いる**マンヤン文字**、また北アフリカのベルベル人の一部が用いる**ティフナグ文字**は右下から書き始めるまれな例です。

さらに古代文字史に目を向けると、**牛耕式**や、渦巻き型、一行型などの特殊なものがあります。

図４　牛耕式の例

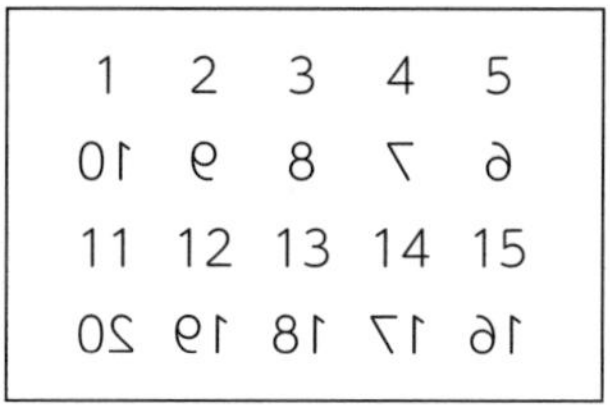

このうち横書きの一種である牛耕式は初期ギリシャ語文字、ヒッタイト・ヒエログリフなどで用いられた書法で、行が変わるとすべての文字記号が裏返しとなります（図４参照）。また、人間や動物の顔を用いた場合は、その顔が必ず書字方向に向かって描かれています。

読書案内

沖森卓也・笹原宏之・常盤智子・山本真吾(2011)『図解 日本の文字』三省堂.
河野六郎・千野栄一・西田龍雄(編著)(2001)『言語学大辞典 別巻 世界文字辞典』三省堂.
庄司博史(編)(2015)『世界の文字事典』丸善出版.
中島平三(編集)(2005)『言語の事典』朝倉書店.(第1部 言語の体系 文字論)
町田和彦(編)(2011)『世界の文字を楽しむ小事典』大修館書店.

引用文献

世界の文字研究会(編)(1993)『世界の文字の図典』吉川弘文館.
矢島文夫 (1977)『文字学のたのしみ』大修館書店.

第２章　音《おん》の作り方（音声学）

この章で学ぶキーワード

呼気、声帯、調音器官、母音、子音、第一次基本母音、音節、モーラ、聞こえ度、アクセント、リズム、ピッチ、声調、イントネーション

この章では、まず、どのように「音《おん》を作るか」という視点で、言語の音について説明します。音を作ることを「調音」というため、この分野は「調音音声学」と呼ばれています。そして、１つの音よりも大きい単位である音節、単語、さらに文などにみられる音の主な特徴を紹介していきます。

2.1　音はどこで作るのか

人は日常生活でさまざまな音を出しますが、その一つが言語音です。では言語音はどのようにして作るのでしょうか？ 言語音の作り方を、楽器(トランペット)と比べてみます(図 1)。

図１　楽器と言語音

	吐き出す息	マウスピース	ピストン
トランペット		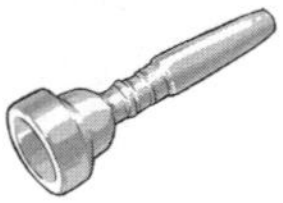	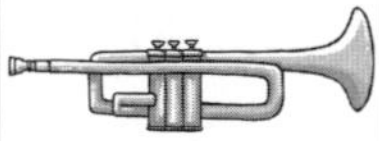
言語音	呼気	声帯	調音器官

トランペットのような金管楽器で音を出すためには、吐き出す息を使います。そして、音を出す練習はまずマウスピースを使って行ないます。そのあと、い

よいよトランペットを吹くわけですが、ピストンを操作して音の高さを変えます。

実は言語音の作り方もこれとよく似ています。言語音を作るときにも、吐き出す息を使い、マウスピースのように音源となる声帯が必要です。そして、言語音の場合は舌や唇といった調音器官を使って音色《ねいろ》の調整をするのです。

2.1.1　言語音のエネルギー源 —— 呼気

息を吸ったり吐いたりすることを呼吸といいますが、吐き出す息を**呼気**(expiration)、吸い込む息を吸気(inspiration)と呼びます。人は通常、呼気を使って言語音を出します。吸気を使って(＝息を吸いながら)数語話すこともできなくはありませんが、苦しく感じるはずです。

では、世界のすべての言語音を呼気だけで作っているかというと、そうともかぎりません。たとえばアフリカで使われている言語の中には、「チッ」という舌打ちの音《おん》を使うものもあります。このような音を**吸着音**(click)といいますが、この音は呼気を使わないので、息を止めていても出すことができます。

吸着音のような例外はあるものの、世界の大多数の言語音は、呼気を使用して作ります。言語音の主たるエネルギー源は呼気なのです。

2.1.2　言語音の音源 —— 声帯

言語音を出すうえで、音源の役割を果たすのが**声帯**(vocal cords)です。声帯は、のどの奥の**喉頭**(larynx)と呼ばれる、軟骨でできている箱の中にあります。軽くのどに手をあてて、ゴクンと何かを飲み込んでみてください。このとき、動く部分が喉頭です。

声帯は２枚の筋肉のひだでできていて、唇のように開いたり閉じたりします。図２は声帯を上から見た状態を簡略化して示したものです。声帯の状態を３つ紹介します。１つは、Ａのように閉じている状態です。たとえば、食べ物や飲み物を飲み込むときに、声帯はぴったりと閉じます。そうすることで、飲み込んだものを食道、そして胃に送ることができます。ほかにも、なにか重いものを持ち上げようとぐっと力を入れるときも、声帯はぴったりと閉じます。

また、声帯は、Ｂのように開いているときもあります。これはたとえば、呼吸をしているときです。声帯が開いてできた空間を**声門**(glottis)といいます。声帯が開いていると、呼気と吸気が、気管を通って肺から出入りします。

図２　声帯の状態(上からみた図)

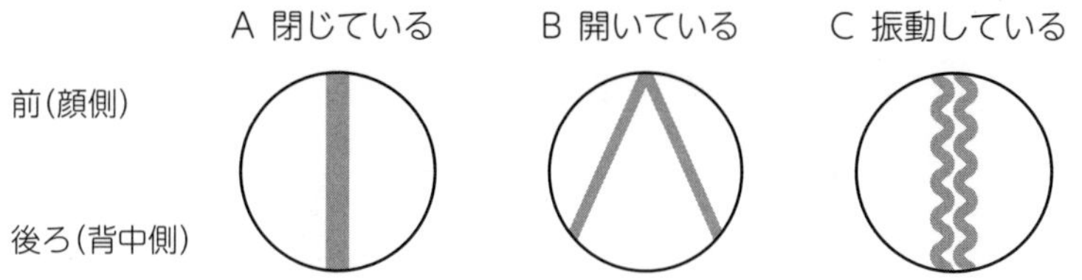

そして３つ目ですが、声帯はＣのように、振動することがあります。これが言語音を作るうえで大切な、声を出している状態です。たとえば[a]や[m]の音《おん》を出して、のどもとに軽く手をあててみると、声帯の振動を感じることができます。[s]のときは何も感じないはずです。([a], [m], [s]のように、この章では音声記号は[　]に入れて示すことにします。)

声帯が振動する音《おん》を**有声音**(voiced sound)、声帯が振動しない音(ＡやＢの状態)を**無声音**(voiceless sound)といいます。日本語では、たとえばカ行の[k]やサ行の[s]が無声音、[a, i, u, e, o]の母音やナ行の[n]が有声音です。そして、有声音と無声音を区別することが声帯の大切な役割です。そのほかにも、声帯は声の高さを変えたり、声質(ささやき声や裏声など)を調整したりする役割をもっています。

2.1.3　言語音の音色を作る ── 調音器官

言語音の音色を作り出すのが**調音器官**(articulator)です。具体的には、舌・唇・歯・歯茎など図３に示されている部分です。言語音の作り方についての説明を読むときには、各部位の名称が必要となるので覚えておきましょう。

声帯から唇までの通り道を**声道**(vocal tract)といいます。それでは、唇から順番に説明します(各部位の英語名は、(名詞; 形容詞)の順で書いてあります)。上唇と下唇を合わせて**両唇**(lips; bilabial)と呼びます。唇は閉じたりすぼめたりすることで、音色を変えることができます。**歯**(teeth; dental)、特に上の前歯も音《おん》を作るときに使います。英語の[θ, ð]や[f, v]がよい例です。上前歯裏の付け根あたりを**歯茎**《しけい》(alveolar ridge; alveolar)と呼びます。舌先で触れるとごつごつと硬いことがわかります。さらに舌先を奥にずらしていくと、しばらく硬

図3　調音器官

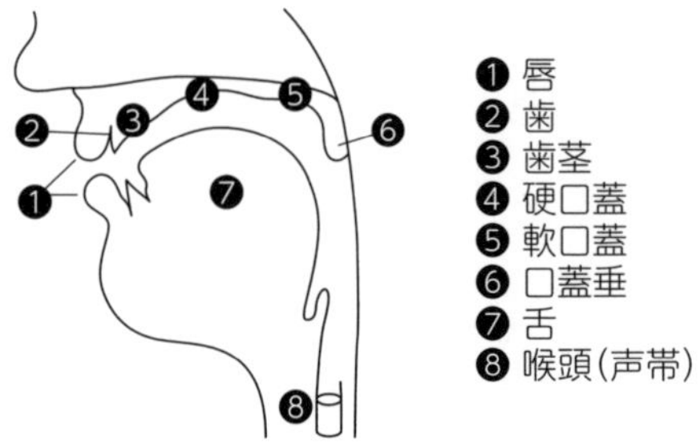

い部分が続きます。この硬い部分を**硬口蓋**(hard palate; palatal)と呼びます。その奥のやわらかい部分が**軟口蓋**(velum; velar)です。[ka, ga]と言ったときに、舌の後ろのほうがあたる場所です。

軟口蓋は、鼻へ呼気を通すための扉の役目ももっています。軟口蓋が上がった状態では、呼気が鼻に抜けません(図3の状態)。ですが、軟口蓋を下げると呼気が鼻に抜けます。[m]の音《おん》を出してみてください。鼻の下に指を置くと、口は閉じていても、鼻から息が出ていることを感じるはずです(鼻をつまむと止まります)。口を閉じて鼻で呼吸をしているときには、軟口蓋は下がった状態なわけです。軟口蓋の先端部分を**口蓋垂**(uvula; uvular)といいます。

言語音を作るうえで最も大切といってよい調音器官が**舌**(tongue)です。舌は上あごに近づけたり、接触させたり、上下させたり、前後に動かしたり、舌先を反らせたりと、柔軟に動かすことができます。唇以外の上あごの調音器官は動かすことはできませんが、舌は大きく動かすことができます。このように、人は唇や舌を動かすことにより、声道の形を変えて、さまざまな言語音を作り出しているのです。

2.2　言語音の分類

言語音は、大きく母音と子音に分けて考えます。そこで、まず母音と子音を定義しておきましょう。

母音(vowel)：呼気が声道で大きな妨害をうけない音
子音(consonant)：呼気が声道でなんらかの妨害をうける音

ここで確認しておきたいのが「妨害」という表現です。妨害とは、声帯を通ってきた呼気が、声道を通り抜ける途中で、「どのようなじゃまをされるか」という意味です。妨害の度合いを、4段階に分けて考えてみましょう(図4)。

妨害の度合いが最も強いのが、Aのように声道のどこかで呼気が完全に遮断される状態です。Bのように狭い隙間しか通り道がないのも、かなり強い妨害です。Cのように、通り道が少し狭くなる程度の妨害もあります。そして、Dが妨害なしです。

母音と子音の区別についていえば、Dのような妨害がない状態に近ければ近いほど母音であり、なんらかの妨害をうけるような場合が子音となります。母音と子音は、明確に2つのグループに分類されるように思われがちですが、調音という点では、図4が示すような連続体なのです。

図4　妨害の度合い

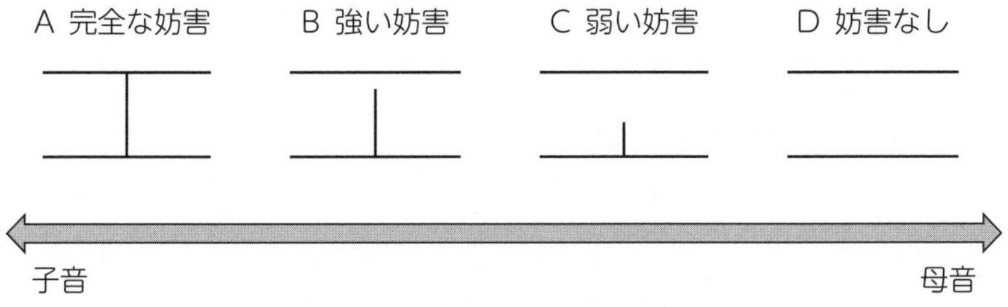

2.3 「ぱ・ば・た・ふぁ」の違いは何か —— 子音の分類

2.3.1　子音を分類する3つの基準

子音を分類するときは、3つの基準を使います。それは、①声の有無、②調音位置、③調音方法です。英語で示したときの頭文字をとって、VPMと呼びます。

① 声の有無（V: voice）
② 調音位置（P: place）
③ 調音方法（M: manner）

声の有無(V)とは、子音が有声音か無声音かということを指します。そして、調音位置(P)とは、どの場所を使って妨害を作るか、調音方法(M)とは、どのような方法で妨害を作るかを指します。

それでは、「ぱ・ば・た・ふぁ」の出だしの子音である [p, b, t, ɸ] を使って、3つの分類基準を詳しくみていくことにしましょう。まず [p] と [b] は何が違うでしょうか。両方とも両唇を閉じるのでPとMは同じです。違っているのは、[p] が無声音、[b] が有声音という点です。

[p] と [t] を比べてみましょう。両方とも無声音なのでVは同じです。また声道のどこかで図4のAのような、完全な呼気の遮断が起こるのでMも同じです。[p] と [t] の違いはPです。[p] は両唇で、[t] は舌先と歯茎で呼気を遮断します。

次に、[p] と [ɸ] を比べてみます。両方とも無声音であり両唇を使うので、VとPは同じです。違いは、[p] は両唇をしっかり閉じて完全な遮断を作るのに対して、[ɸ] はろうそくを吹き消すときのように、両唇を近づけて狭い隙間を作るという点です。つまり両者はMが違います。

2.3.2　子音表をながめてみる

世界のさまざまな言語で使われている子音を整理して示しているのが、**国際音声記号**(International Phonetic Alphabet; IPA)を使った子音表です。

表1に載っているすべての子音を紹介することはできませんが、表の見方を説明します。この子音表には、2.3.1で説明した3つの基準が示されています。まずV(声の有無)については、それぞれの枠内を見ます。たとえば いちばん左上の [p, b] のように、2つ記号が並んでいるときは、左側が無声音で、右側が有声音です。枠内に記号が1つしかない場合でも、その下の [m] のように右側に寄っていれば有声音ということがわかります。

次にP(調音位置)ですが、これは横軸と対応します。表の左端が両唇音であり、右にいくほど口の奥になります。

最後にM(調音方法)です。これは縦軸と対応します。表の上側ほど基本的に

表 1　子音表（IPA2015）

	両唇音	唇歯音	歯音	歯茎音	後部歯茎音	そり舌音	硬口蓋音	軟口蓋音	口蓋垂音	咽頭音	声門音
破裂音	p b			t d		ʈ ɖ	c ɟ	k ɡ	q ɢ		ʔ
鼻音	m	ɱ		n		ɳ	ɲ	ŋ	ɴ		
ふるえ音	ʙ			r					ʀ		
たたき音		ⱱ		ɾ		ɽ					
摩擦音	ɸ β	f v	θ ð	s z	ʃ ʒ	ʂ ʐ	ç ʝ	x ɣ	χ ʁ	ħ ʕ	h ɦ
側面摩擦音				ɬ ɮ							
接近音		ʋ		ɹ		ɻ	j	ɰ			
側面接近音				l		ɭ	ʎ	ʟ			

（グレーの部分は調音できないと考えられている子音です）

妨害の度合いの強い子音で、下にいくほど妨害の度合いが弱い子音です。ひとつひとつみていくことにします。

いちばん上の**破裂音**（plosive）は、日本語や英語の [p, d] などのように、呼気が完全に遮断される音《おん》で、閉鎖音（stop）ともいいます。次の**鼻音**（nasal）は、口の中で呼気が完全に遮断されるという点では破裂音と同じですが、軟口蓋が下がって鼻からは呼気が抜ける音です。日本語や英語の [m, n] が例です。上から 3 つ目の**ふるえ音**[1]（trill）は、1 つの調音器官が別の調音器官を何度もたたく動作がすばやく繰り返される音です。たとえばスペイン語などの [r]（いわゆる巻き舌音）だと、舌先が繰り返し歯茎をたたきます。その下の**たたき音**[2]（tap）は、1 つの調音器官が別の調音器官を、1 回だけたたく音です。たとえば日本語ラ行の [ɾ] は、舌先で歯茎を 1 度だけたたく音です。

最も数が多いのが**摩擦音**（fricative）です。これは、口の中に作られた狭い隙間を呼気が通り抜けるときに摩擦が生じる音《おん》です。日本語や英語の [s] の音がその例で、息が続くかぎり、出しつづけることができます。下から 2 番目の**接近音**（approximant）は、口の中で 2 つの調音器官が近づく音です。摩擦音ほど妨害の度合いが強くないため、呼気は比較的自由に声道を通り抜けます。妨害を

---

[1] 顫動音ともいいます。

[2] たたき音ははじき音（flap）とも呼びますが、厳密にいうと、はじき音は、たとえば舌先を後ろに引いたあと、通常の状態に戻そうとする途中で歯茎に一時的にふれる音で、たたき音とは区別して定義されます。

あまりうけないので、母音に近い音といえます。英語の R は接近音で、IPA の記号では[ɹ]を使います。

残りの 2 つが、**側面摩擦音**(lateral fricative)と**側面接近音**(lateral approximant)です。側面とは、呼気が舌の中央ではなく、片側(あるいは両側)を抜けていくという意味です。たとえば側面摩擦音の[ɬ]はウェールズ語で、側面接近音の[l]は英語で使われています。

ひとつひとつの子音には、VPM を使った正式名称がついています。たとえば[p]は無声両唇破裂音、[v]は有声唇歯摩擦音といいます。

2. 3. 3　そのほかの子音の特徴

世界の言語で使われている子音には、表 1 には載っていないものもあります。そのほかの子音の特徴を説明する際のポイントを、3 つ紹介します。

① **破擦音**(affricate): 調音点が同じ(または近い)2 つの子音を、同時に発音して作ります。破裂音のように完全に遮断が起きたあとで、ゆっくり開放されるときの摩擦の音が聞こえます。英語の[dʒ](judge)や日本語の「つ」の出だしの[ts]がその例です。

② **気音**(aspiration): 破裂音に気音を伴う言語がたくさんあります。気音とは、破裂音を発音する際に作られる閉鎖を開放するときに出る[h]のような息漏れの音で、[^{h}]と表記します。英語の[p, t, k]は後ろに強く発音する母音が続くときに強い気音を伴います。また、中国語では気音がない[p, t, k]と気音を伴う[p^{h}, t^{h}, k^{h}]の両方が使い分けられています。

③ **長さ**: 長い子音と短い子音をもつ言語があります。日本語もその一つです。そして、日本語で**促音**と呼ばれている「っ」は実は長い子音です。「肩」と「勝った」、「都心」と「突進」を比べてみると、[kata, toʃiɴ]では[t, ʃ]は短く、[katːa, toʃːiɴ]では[t, ʃ]が長いことがわかります([ː]は音が長いことを示す記号です)。ほかには、イタリア語などにも長短の子音があります。

2. 4　「あ・い・う・え・お」の違いは何か —— 母音の分類

2. 4. 1　母音を分類する 3 つの基準

母音も子音も同じ調音器官を使って作ります。それならば、同じ基準を使って分類できるとよいのですが、そうはいかない事情があります。子音の分類基準であるVPMを母音にあてはめて考えてみましょう。声の有無(V)でいうと、母音は原則としてすべて有声音です(2.4.3 ③参照)。調音方法(M)でいうと、母音はすべて大きな妨害をうけない音です。つまりVPMのうち、VとMは役に立たないのです。そこで、母音を発音しているときの口の中の状態をさらに詳しく分類するための新しい基準として、次の３つを使います。

① 舌がどの高さまで上がるか
② 舌の前後、どの部分が高いか
③ 唇を丸めるか、丸めないか

第一の基準は「舌がどの高さまで上がるか」です。[a]と[i]を交互に言うと、どのような違いに気がつきますか？ [a]は[i]よりも、大きく口を開きます。実際に重要なのは、あごの動きではなく、舌の高さです。その証拠に、腹話術師のように口を少し開けた状態のまま舌だけを上下に動かすことで[a]と[i]を発音することができます。[a]のように舌を下げる母音を**低母音**(low vowel)、[i]のように舌を上げる母音を**高母音**(high vowel)といいます。

第二の基準は「舌の前後、どの部分が高いか」です。[e]と[o]を交互に言ってみましょう。このとき、[o]は唇を丸めないようにしてください。すると、[e]のときは舌の前のほうを使い、[o]のときには舌の後ろのほうを使うことに気がつきます。[e]のように、舌の前のほうが高くなる母音を**前舌母音**(front vowel)、[o]のように、舌の後ろのほうが高くなる母音を**後舌母音**(back vowel)といいます。

第三の基準が「唇を丸めるか、丸めないか」です。[i]と言いながら、唇を丸めていってください。このとき舌をだんだんと後ろに引いてしまわないようにしましょう。すると、[i]からしだいに[y](「ゆ」のような音《おん》)と聞こえてきます。このように、唇の形を変えると、母音の音色が変わるのです。日本語の[o]や、フランス語の[y]のように唇を丸める母音を**円唇母音**(rounded vowel)、唇を丸めない母音を**非円唇母音**(unrounded vowel)といいます。

2.4.2　母音図をながめてみる

母音図は、図5のような台形を使用します。母音図の縦軸が、母音の第一の分類基準「舌がどの高さまで上がるか」と対応しています。図の上側の母音ほど舌が高く上がり、下側の母音ほど舌が下がります。第二の基準「舌の前後、どの部分が高いか」は、母音図の横軸と対応します。母音図の左側が前舌母音、右側が後舌母音です。第三の基準「唇を丸めるか、丸めないか」は、図5では、円唇母音を○で、非円唇母音を●で示しています。

図5　母音図

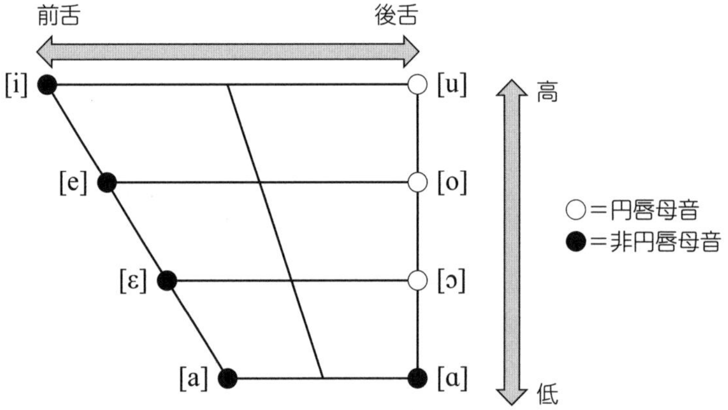

図5に示した8つの母音は、英国の音声学者ジョーンズ（Daniel Jones）が考案した**第一次基本母音**（primary cardinal vowels）と呼ばれるものです。左上の[i]は、舌を可能なかぎり前へ出し、高く上げて発音する母音です。右下の[ɑ]は、舌を可能なかぎり後ろに引き、低く下げて発音する母音です。[i]も[ɑ]も、それ以上舌を動かすと、摩擦の音が聞こえて子音になってしまうぎりぎりの母音です。この2つが第一次基本母音の基準点です。

舌を[i]の位置からしだいに下げていくと、[e, ɛ, a]と聞こえます。[e, ɛ, a]は聴覚的に等間隔の位置であると定義されます。次に、舌を[ɑ]の位置から、しだいに上げていくと[ɔ, o, u]と聞こえます。[ɔ, o, u]は聴覚的に等間隔の位置で、唇は[ɔ, o, u]の順番に強く丸めていきます。第一次基本母音は、母音の基準点や枠組を示しているものであって、８つの母音がどれか特定の言語の母音というわけではありません。世界の言語の母音は、この母音図の中のどこかに示すことができるということになります。

2.4.3　そのほかの母音の特徴

母音の種類は、言語によってさまざまですが、いくつかの特徴があります。

① 音色が途中で変わるか、変わらないか：英語母語話者は英語の [aɪ]（eye）を、１つの母音ととらえています。この [aɪ] のように、１つの母音の中で音色が１度変わる母音を**二重母音**(diphthong)と呼びます。

② 長いか、短いか：日本語には「黒」[kuɾo] と「空路」[kuːɾo] や、「地図」[tʃizu] と「チーズ」[tʃiːzu] のような単語の対があります。２つの違いは母音の長さです。ほかに、韓国・朝鮮語でも母音の長短を区別して使います。英語のように、長い母音を長母音(reach や pool の母音)、短い母音を短母音(rich や pull の母音)と呼んで分類する言語もあります。

③ 有声か、無声か：母音は基本的には有声音です。しかし音声学的には、無声の母音を発音することも可能です。日本語では実際に、地域差はありますが、後ろに無声子音が続くときに [u] や [i] の母音に**無声化**(devoicing)が起こります。たとえば、「くつ」[ku̥tsu] の最初の [u] や、「舌」[ʃi̥ta] の [i] を無声の母音として発音する話者がいます([̥] の記号は無声化を示します)。

④ 呼気が鼻から抜けるか、抜けないか：母音は基本的には呼気が口から抜けます(つまり軟口蓋が上がっている状態で発音されます)。しかし、言語によっては呼気が鼻から抜ける鼻母音をもつことがあります。フランス語やポルトガル語などがそうです。

2.5　音よりも大きい単位

2.5.1　音節

ここまでは、母音や子音というひとつひとつの音《おん》について話してきました。しかし、実際に話すときは、音は単独ではなく、組み合わせて使います。「母音を中心とした音のまとまり」を**音節**(syllable)と呼びます。

わたしたちは、長い単語をこの音節という単位に分けて考えることがあります。

子どものころ、じゃんけんをしてパーで勝つと「パイナップル」と6歩進めるというゲームをしたことはありませんか？ 同じゲームを英語話者がすると、pineappleという単語では3歩しか進めません。この違いがなぜ起こるのかみていきましょう。

音節の数を数え、特徴を理解するのには**聞こえ度**(sonority)を使うことができます。聞こえ度とは、「同じ条件(=同じ大きさ、長さ、高さ)で発したときの、ひとつひとつの音《おん》の大きさ」のことです。たとえば、[a]と[p]を比べると、明らかに[a]の聞こえ度が高そうです。聞こえ度別に音を大きく3つのグループに分けると、次のようになります。

図6　聞こえ度のレベル[3]

高い ↑ レベル3：母音
　　　 レベル2：接近音・鼻音・たたき音
低い ↓ レベル1：摩擦音・破擦音・破裂音

聞こえ度は、声道内の妨害の度合いと比例するので、子音の中では母音に近い音ほど聞こえ度が高くなります。

英語の単音節語(=1音節の語)を使って、聞こえ度のレベルをみてみましょう。すると、聞こえ度の頂点の数が音節数と一致することがわかります。

グラフが示すように、音節の中心(=聞こえ度の頂点)は通常 母音です。そして音節は、聞こえ度でみるとdrinkのように「低い子音＜高い子音＜母音＞高い子音＞低い子音」という形をもっていることがわかります。ただし、母音の前や後ろに必ず子音がつく必要はありません。eatは母音の前に子音がなく、playは母音の後ろに子音がありません。

[3] 聞こえ度のレベルは、より詳細に分けることができますが(竹林1996など参照)、ここでは簡略化して3段階とします。

図7　聞こえ度グラフ(英語の単音節語)

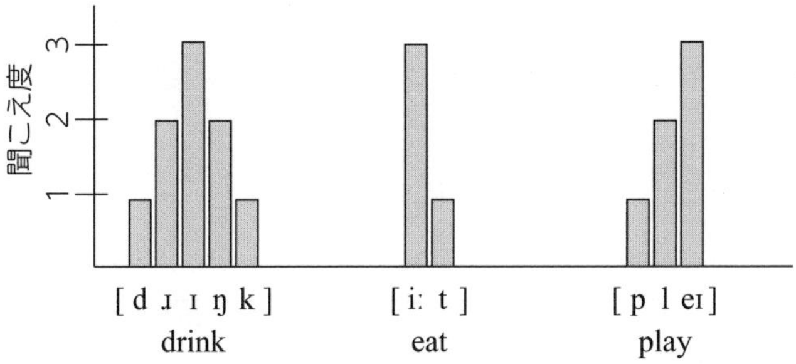

次に、もう少し長い単語と日本語の例をみてみましょう。聞こえ度の頂点の数と音節数が一致するので、textbook は 2 音節語、telephone は 3 音節語だとわかります。そして、聞こえ度は日本語の音節数を数えるときにも使えることが、3 音節語の「さくら」でわかります。

図8　聞こえ度グラフ(英語の多音節語・日本語)

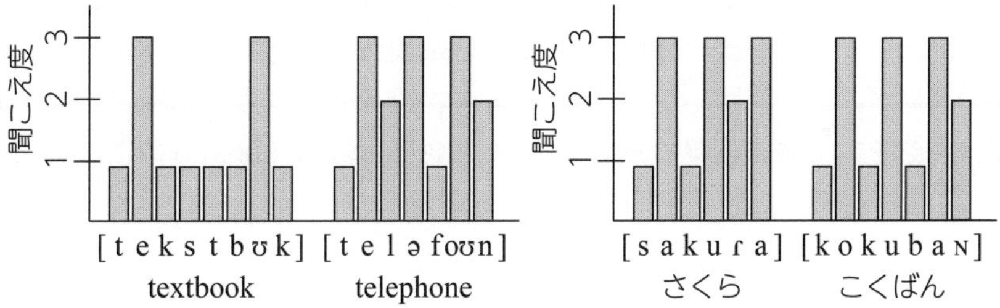

しかし、日本語母語話者ならば「こくばん」を 3 音節とすることに違和感をもったのではないでしょうか？ それは「こくばん」は 3 つではなく、4 つに分けて数えると感じるからです。実は日本語母語話者は、単語の長さを測るのに、音節よりも小さい**モーラ**(mora)という単位を使っているのです。図 9 に示すように、「こくばん」の「ん」や、「活気(かっき)」の「っ」を、独立した単位としてとらえています。

最初に例で挙げたゲームで、日本語話者は「パイナップル」で 6 歩、英語話者は pineapple で 3 歩進むと説明しました。これは言い換えると、日本語の「パ

図9　音節とモーラ

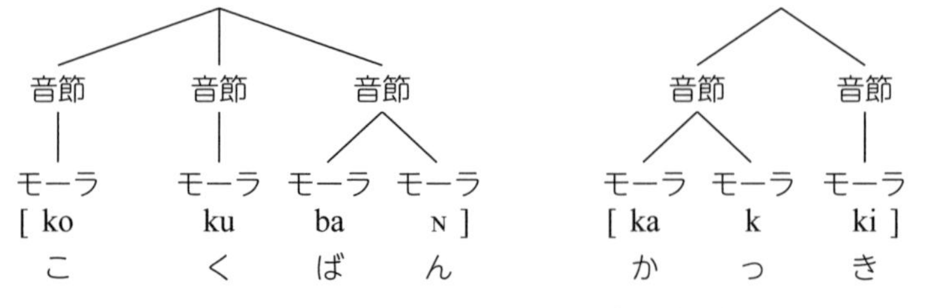

イナップル」は6モーラ、英語の pineapple は3音節ということです。そして、音節やモーラは、次に説明するアクセントやリズムの単位としても使われます。

2.5.2　アクセント

音を組み合わせて音節やモーラを、音節やモーラを組み合わせて単語をつくります。そして、単語には**アクセント**(accent)があります。2音節以上の語ならば、ほかの音節よりも際立って聞こえる音節がアクセントをもつ音節です。では、どのような方法で1つの音節を、ほかの音節よりも際立たせることができるのでしょうか。たとえば nanána [nanana] という3音節語があって、まん中の音節がアクセントをもつと仮定します(ちょうど英語の banána のようなイメージです)。書き言葉であれば、naNAna, na**na**na, nanana のような方法で示すことができます。音声ならば、図10のように「長さ」「強さ」「高さ」「母音の質」の4つを使う方法があります(図の中のひとつひとつの□や○は、音節と対応します)。

図10　音節とアクセント

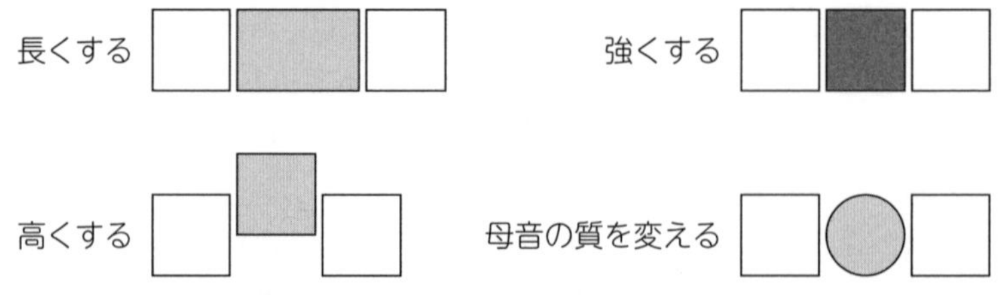

アクセントをもつ音節を、「長く」または「強く」または「高く」発音することでほかの音節より際立たせることができます。また「母音の質」を変える、つまり異なる母音を使うことでも同じ効果を得ることができます。しかし、これらの要素はある程度連動するので、1つだけコントロールするのは実はむずかしいことです。たとえば、ある音節を強く発音しようとすれば、その音節は自然と高く、長くなります。

ちなみに、どのような方法でアクセントを示すかは、言語によって異なります。日本語は主に高さを使用しますが(例：東京方言の「牡蠣」と「柿」の違い)、英語は上に挙げた4つの要素を複合的に使います(例：名詞の récord と動詞の recórd の違い)。そして、英語の場合はアクセントではなく、**強勢**(stress)という用語が使われるのが一般的です。

2.5.3　リズム

音を組み合わせて音節や単語を構成し、さらに単語を組み合わせて文を構成します。そして言語には、リズムがあるといわれています。**リズム**(rhythm)とは「ある現象の規則的な繰返し」と定義できます。

言語のリズムには大きく2種類あると考えられてきました。

(1)　a. C'est la vie. (＝それが人生さ)　(フランス語)
　　　　□□□
　　b. こんにちは　はじめまして　(日本語)
　　　　□□□□□　□□□□□□

□＝音節・モーラ

(2)　a. Nice to meet you.　(英語)
　　　　◯ ○ ◯ ○
　　b. Tell me the way to the library.　(英語)
　　　　◯ ○ ○ ◯ ○ ○ ◯ ○ ○

◯＝強い音節
○＝弱い音節

(1)は**音節拍リズム**(syllable-timed rhythm)です。(1a)のフランス語の例のように、音節が等間隔で繰り返し、連続して現われます。(1b)の日本語のリズムはこの一種で、音節ではなくモーラを使うので、**モーラ拍リズム**(mora-timed rhythm)と呼ばれています。

一方(2)は、英語に代表される、**強勢拍リズム**(stress-timed rhythm)です。このリズムでは、強勢が等間隔に現われる傾向があります。(2a)のように、強い音節と弱い音節が交互にくるリズムを**強弱格**(trochaic)といいます。実際にはいつも(2a)や(2b)のように、規則的に強弱の音節が並ぶとはかぎりません。

2.6　声の高さのコントロール

声の高さのコントロールは、言語を語るうえで重要です。声の高さのことを**ピッチ**(pitch)と呼びます。ピッチのコントロールは、声帯を使って行ない、有声音を発音しているときの声帯の振動数が多いと高い声に、少ないと低い声になります。ピッチの使い方は、言語によって異なります。

「単語の意味を区別するピッチの変化」を**声調**(tone)といい、声調を使う言語を**声調言語**(tone language)と呼びます。表 2 を見てください。中国語の[ma]、タイ語の[kʰaa]という音節をさまざまなピッチで発音しているのですが、ピッチの変化によって単語の意味が変わります。

表 2　中国語とタイ語の声調

a. 中国語(北京語)[4]

[mā] (母)	第一声	
[má] (麻)	第二声	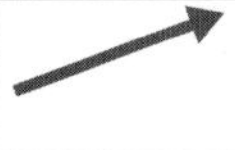
[mǎ] (馬)	第三声	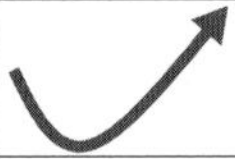
[mà] (しかる)	第四声	

b. タイ語[5]

[kʰaa] (残っている)	平声	
[kʰàa] (ショウガの一種)	低声	
[kʰâa] (わし、俺)	下声	
[kʰáa] (商売をする)	高声	
[kʰǎa] (脚)	上声	

[4] 竹林(1996)、山下(2016)を参考に作成。
[5] IPA(1999)、三上(2014)、峰岸(1997)を参考に作成。

それでは、英語はどうでしょうか？ 英語でも、単語やフレーズを、ピッチを上げたり下げたりして発音することで、意味の違いを表わすことがあります。

(3)　a. now ↘　　　　I'm sorry. ↘
　　　b. now ↗　　　　I'm sorry? ↗

(3a)のようにピッチを下げるのが一般的な発音で、完了や断定を示します。I'm sorry. であれば「ごめんなさい」という意味です。(3b)のように、ピッチを上げるとなにか聞いているような印象となります。I'm sorry? であれば「今、なんとおっしゃいましたか」という意味です。ちなみに、英語の場合はピッチの変化で単語自体の意味は変わりません(now は常に「今」という意味です)。単語の意味を区別しないため、英語は声調言語ではありません。英語でピッチによって意味が変わるのは、フレーズや文の場合なのです。英語のような、文などでのピッチの使い方を**イントネーション**(intonation)と呼びます。

問題

1.　知っている言語から２つの子音を選んで、VPM の３点から比較して、どの点が同じで、どの点が違うか説明しましょう。(２つの子音は同じ言語から選んでも、違う言語から選んでもかまいません。)

2.　４つの音の共通点を探しましょう。また、(4)に自分で問題を作ってみましょう。

(1) [a, o, z, n] [共通点] ____________________

(2) [p, m, u, b] [共通点] ____________________

(3) [s, l, t, n] [共通点] ____________________

(4) ________ [共通点] ____________________

3. 日本語で、短い子音と長い子音、短い母音と長い母音で区別されるような、単語のペアを探してみましょう。

[短い子音 ― 長い子音] ____________________

[短い母音 ― 長い母音] ____________________

4. 英語の pineapple と日本語のパイナップルの聞こえ度のグラフを書いて、音節の数を確認しましょう。また、この章の内容や自身の母語の感覚と照らし合わせて、疑問に思う点はないか、考えてみましょう。

____

____

____

5. 中国語（北京語）やタイ語のほかに、どのような言語が声調言語であるか、調べてみましょう。

____

____

読書案内

内田洋子・杉本淳子(2020)『英語教師のための音声指導 Q&A』研究社.

川原繁人(2015)『音とことばのふしぎな世界 ── メイド声から英語の達人まで』(岩波科学ライブラリー) 岩波書店.

斎藤純男(2006)『日本語音声学入門(改訂版)』三省堂.

竹林滋・清水あつ子・斎藤弘子(2013)『改訂新版 初級英語音声学』大修館書店.

Catford, J. C. (2002) *A Practical Introduction to Phonetics*. 2nd ed. Oxford: Oxford University Press.

Roach, Peter (2009) *English Phonetics and Phonology*. 4th ed. Cambridge: Cambridge University Press.

引用文献

竹林滋(1996)『英語音声学』研究社.

三上直光(2014)『タイ語の基礎(増補新版)』白水社.

山下輝彦(2016)『中国語の入門(最新版)』白水社.

International Phonetic Association (IPA) (1999) *Handbook of the International Phonetic Association*. Cambridge: Cambridge University Press.

峰岸真琴(1997)「外国語への招待 ──『タイ語』放送大学特別講義概要」 http://www.aa.tufs.ac.jp/~mmine/lecture/lec97/thaicrs.htm (2021年5月15日確認)

International Phonetic Association (IPA) (2015) Full IPA Chart. https://www.internationalphoneticassociation.org/content/full-ipa-chart (2021年5月15日確認)

第3章　音《おん》の使い方（音韻論）

この章で学ぶキーワード

音素、異音、最小対、対立分布、音声的類似性、相補分布、自由変異、素性、自然類、同化、音韻規則、核、頭子音、尾子音、韻、子音結合、音素配列論、脚

第2章では、人間が言語の音《おん》をどのように作っているのか、そして、さまざまな言語で使われている音は、どのように分類ができるのかを紹介しました。扱うのは同じ言語の音ですが、この章では、ある特定の言語の話者が、意味を伝えるために、音をどのように使っているのかという点に注目します。

3.1　言語に音はいくつあるか

音《おん》の話をする前に、まず文字について考えてみましょう。図1の日本語と英語、それぞれ6つの文字をよく観察してください。

図1　日本語と英語の文字

あ	あ	あ	ɑ	a	*a*
あ	め	あ	a	o	ɑ

日本語のひらがなを知っている人なら、左の6つのうち5つは〈あ〉で、1つだけが〈め〉という違う文字だとわかるでしょう。よく観察すると5つの〈あ〉もそれぞれ少しずつ違っているのですが、たとえば「あし（足）」という単語の〈あ〉

の文字を５つのうちのどれで書いても同じ単語であると認識します。しかし、〈あ〉が〈め〉と入れ替わると、とたんに「めし（飯）」という別の単語になってしまいます（この章では、音声記号は／　／や［　］に、文字は〈　〉に入れて示すことにします）。

同じように、英語のアルファベットを知っている人であれば、右の６つのうち５つは、少しずつ違ってはいるもののすべて〈a〉で、１つだけ〈o〉だとわかるはずです。そして、たとえば hat のまん中の文字が、５つの〈a〉のうちのどれであっても単語の意味は変わりませんが、〈o〉と入れ替わってしまうと hot という別の単語になってしまいます。

このことから、どうやらわたしたちは言語を使うときに「重要な違い」と「重要でない違い」とを自然と区別しているようだということがわかります。図１の例でいうと、〈あ〉と〈め〉の違いには敏感でも、〈あ〉どうしの違いには鈍感なのです。実は同じような区別を、耳で聞く音《おん》でも行なっています。

日本語の [a] という母音を例に考えてみます。音《おん》は前後の音の影響をうけて少しずつ性質が変わります。たとえば [a] が含まれる「矢」[ja]、「蚊」[ka]、「間」[ma] という３つの単語を録音して、それぞれの [a] を比較すると、同じではないことがわかります。「矢」では舌の前のほうが下がります（[a̟]）が、「蚊」では舌の後ろのほうが下がります（[a̠]）。また「間」では、少し鼻にかかった響きをもちます（[ã]）。ですが、日本語母語話者は、この３つの [a] の違いにはあまり気がつかず、すべて「同じ音」だと感じるはずです。

英語についても同じことがいえます。たとえば cab, bat, man の３つの単語には [æ] という母音が含まれていて、英語母語話者は３つをすべて同じ母音だと考えています。しかし、詳しく観察してみると、bat の [æ] と比べると、cab の母音は長く（[æ·]）、man では鼻にかかった響きになっている（[æ̃]）など、それぞれ微妙に異なります。

さらにいえば、発音は話し手によっても異なります。話者の年齢、性別、体型などによって、同じ単語の同じ音《おん》であっても、長さ、高さ、音質に差がでます。また同じ話者であっても、時間帯や体調、気分などによって、全く同じ発音にはなりません。つまり極端な言い方をすれば、わたしたちが使う音は無数に存在するのです。

このように説明すると、「そんなに細かい違いは気にし始めたらきりがない」

という反応が返ってくるかもしれません。そのとおりです。人間は言語を意味の伝達のために使っているので、実際には違う音《おん》であっても、それが「重要でない違い」なら、無意識のうちに違いを無視して、同じ音であるととらえているのです。つまり、わたしたちにとっての「重要な違い」とは「意味の区別をするかどうか」なのです。

ここまでの、文字と音《おん》の例を表 1 にまとめてみます。

表 1　頭の中の分類と実際の使用

	文字の例		音の例	
	日本語	英語	日本語	英語
頭の中の分類	〈あ〉	〈a〉	/a/	/æ/
実際の使用	あ　**あ**　**あ** **あ**　あ　…	ɑ　a　*a* a　ɑ　…	[a̟] [a̠] [ã] …	[æ] [æˑ] [æ̃] …

「ある言語の中で単語の意味を区別する音《おん》の最小単位」を**音素** (phoneme)、そして音声環境(＝前後にどのような音があるかなど)や話者によって異なるひとつひとつの音は**異音** (allophone) と呼びます。表 1 に示したとおり、音素は話者の頭の中に存在する「抽象的な音の分類」です。一方、異音は「実際に使用される具体的な発音」です。

ここで、音声の表記のしかたについて説明しておきます。音素は/　/に入れて、異音は[　]に入れて書くのが決まりです。異音を表記するときには、下のように音声記号に補助記号をつけて細かい特徴を示します。

	party	write	しんぶん	ふた
音素表記	/pɑ́ɚti/	/ráɪt/	/siɴbuɴ/	/huta/
異音表記	[p^{h}ɑ́ɚɾi]	[ɹáɪt̚]	[ʃĩmbũɴ]	[ɸu̥ta]

3.2　音素と異音

3.2.1　音素とその探し方

それでは、ある言語の音素は、具体的にどのようにしたら見つけることができるのでしょうか。最もよく使われるのは、最小対を探す方法です。**最小対** (minimal pair) とは、「1つの音《おん》を入れ替えただけで意味が変わる単語のペア」のことです。最小対が存在するということは、音に意味を区別する力があることの証明です。

日本語の例をみてみましょう。

(1)　損 /soɴ/ — 千 /seɴ/　　　木 /ki/ — 蚊 /ka/
　　蟻 /aɾi/ — 網 /ami/　　　椅子 /isu/ — 犬 /inu/

(1) で挙げた4つの最小対から、/o/ と /e/、/i/ と /a/、/ɾ/ と /m/、/s/ と /n/ が日本語の音素であることがわかります。

次は英語の例です。

(2)　fan /fæn/ — fun /fʌn/　　　heat /hiːt/ — hurt /hɚːt/
　　bite /baɪt/ — fight /faɪt/　　　face /feɪs/ — faith /feɪθ/

この最小対から、/æ/ と /ʌ/、/iː/ と /ɚː/、/b/ と /f/、/s/ と /θ/ が英語の音素であることがわかります。また、英語には日本語では使わないような /f/ や /θ/ といった音素があることもわかります。ちなみに、日本語母語話者の耳には、/æ/ と /ʌ/ はどちらも /a/ のグループに入る、よく似た母音に聞こえますが、英語母語話者にはそれぞれが意味を区別する別の音素だとわかるのです。

最小対についてわかったところで、音素の特徴を考えてみましょう。日本語の /i_u/ という音声環境なら_に /s, n, k, ɾ/ を、英語で /feɪ_/ という音声環境なら_に /s, θ, t, k, m/ を入れ替えて違う単語を作ることができます。

(3)　日本語 /i_u/　椅子、犬、行く、いる
　　英語 /feɪ_/　face, faith, fate, fake, fame

このように、同じ音声環境で出現する異なる音《おん》が入れ替わることで単語の意味が変わるような関係を、**対立分布** (contrastive distribution) といいます。音素は対立分布の関係にあります。

3.2.2 異音とその分布

次に、英語と日本語の例を使って、異音の特徴を説明します。(4)と(5)には同じ音《おん》を含む単語が並んでいますが、a から d まではそれぞれ少しずつ違っています。

(4)の英単語では、take は強い気音を伴う [t^h](有気音)、steak は気音を伴わない [t](無気音)、hot dog は開放しない [t˺](開放の省略)、そして party は破裂音の代わりにたたき音化した [ɾ](たたき音)です。そして、この４つの音《おん》[t^h, t, t˺, ɾ] を音素 /t/ の異音であるというのです。

(5)は日本語の音素 /ɴ/(〈ん〉)の４つの異音を示しています。日本語母語話者は、どれも同じ /ɴ/ だと思っていますが、実はそれぞれ違うのです。

(4) a. táke [t^h]
b. stéak [t]
c. hót dòg [t˺]
d. párty [ɾ]
→ /t/

(5) a. 散歩(さんぽ) [m]
b. 軍手(ぐんて) [n]
c. 参加(さんか) [ŋ]
d. 期間(きかん) [ɴ]
→ /ɴ/

異音の第一の特徴は、同じ音素の異音どうしは**音声的類似性** (phonetic similarity) があるということです。たとえば(4a)～(4c)は、同じ記号 [t] が使われていることから明らかなように、すべて無声歯茎破裂音です。少し異なるのが(4d)です。アメリカ英語などで、party は「パーリー」のように発音されることがありますが、このとき /t/ は有声歯茎たたき音 [ɾ] で発音されます。[t] と [ɾ] は調音位置が歯茎で、どちらも声道で一度呼気が遮断されるという共通点をもっています。(5)に挙げた日本語 /ɴ/ の４つの異音も、鼻音という共通点があります。

異音の第二の特徴は、どの位置でどの異音が使われるのかは、音声環境から予測できるという点です。たとえば英語の take の /t/ は、後ろに強勢をもつ母音が続くので、気音を伴います。しかし steak の /t/ は、同じく後ろに強勢をもつ母音が続くのですが、/t/ の前に /s/ があるため気音はありません。

次に、(5)の日本語 /ɴ/ の例をみてみましょう。/ɴ/ の異音も次に続く音《おん》によって決まります。「散歩」は後ろに /p/ が続くため [m]、「軍手」のように後ろに /t/ が続くときは [n]、「参加」のように後ろに /k/ が続くときは [ŋ]、そして「期間」のように語末では [ɴ] が使われます(3.4 も参照)。異音のなかには、このように音声環境によって「すみわけ」が決まっているものがあります。言い換えると、/ɴ/ の異音として [m] が使われるところでは [n, ŋ, ɴ] は出現せず、[n] が使われるところでは [m, ŋ, ɴ] は出現しない、ということです。このような関係を、**相補分布** (complementary distribution) と呼びます。

位置によっては、使う異音を選べることもあります。(4)の英語の例に戻ってみましょう。たとえば英語の hot dog の /t/ は、次に同じ歯茎音 /d/ が続くので、舌先を歯茎から離さずに(＝開放の省略)[t̚] と発音します。しかし丁寧に発音するなら、hot dog の /t/ を開放させて発音しても問題ありません。このように、どちらの異音を使ってもよい場合を**自由変異** (free variation) といいます。

そして異音の最大の特徴は、音素とは違って、入れ替えて使っても意味が変わらないということです。それゆえ、同じ音素の異音は、音声的には少しずつ異なっていても、その言語の母語話者にとっては同じ音《おん》であると認識されているのです。

3.3　音を「分解」して考える

ここまでのところで、意味を区別する言語音の最小単位は音素だと説明してきました。たとえば、man という単語は /m＋æ＋n/ という3つの音素で成り立っているという考え方です。それでは次に、音素間にどのような相違点や共通点があるのか考えるために、音《おん》を「分解」して考えることにします。

ひとつの音《おん》は、音素という単位より小さい「特徴」の集まりであると考えることができます[1]。これを**素性**[2] (feature) と呼ぶことにします。素性は [ ] に

---

[1] 素性の説明については McMahon (2002) と菅原 (2014) を参照。

[2] 窪薗 (2016) では音声素性 (phonetic feature)、菅原 (2014) では音韻素性 (phonological feature) という用語を使っています。このほかに、素性が音素の区別をし、音素を素性の束であると考えるときに弁別的素性 (distinctive feature) という用語が使われます。

入れ、＋と－の二項対立で表わします。そうすることで効率的に音の特徴を示すことができます。たとえば、有声音に[有声]、無声音に[無声]と 2 つの素性を用いる代わりに、[±有声性]を使えば 1 つの素性で済みます。

調音位置についても、[両唇] [唇歯] ... [軟口蓋] [咽頭] [声門]とすべての名称を使って素性を作ったのでは効率的とはいえません。たとえば、破裂音や鼻音の 3 箇所の調音点(両唇・歯茎・軟口蓋)は、[±舌頂性] (舌端を使う音)と[±前方性] (歯茎やそれより前方を使う音)の 2 つの素性を使って区別することができます。

	両唇 /p, b, m/	歯茎 /t, d, n/	軟口蓋 /k, g, ŋ/
[舌頂性]	−	＋	−
[前方性]	＋	＋	−

調音方法についても、たとえば破裂音と鼻音を区別するには[±鼻音性] (口音か鼻音か)を、破裂音と摩擦音を区別するには[±継続性] (継続的に出せる音《おん》かどうか)を使うことができます。

ここまでに登場した 5 つの素性を使って、破裂音について示してみます(表 2)。

表 2　破裂音の分類と素性

	[鼻音性]	[継続性]	[有声性]	[舌頂性]	[前方性]
/t/	−	−	−	＋	＋
/p, t, k/	−	−	−		
/p, t, k, b, d, g/	−	−			

(グレーの部分は、必要のない素性です)

/t/ をほかと区別するには 5 つの素性すべてが必要です。しかし、/p, t, k/ を表わすには、3 つで十分だということがわかります。さらに、/p, t, k, b, d, g/ を鼻音や摩擦音と区別するには、2 つだけで足ります。/p, t, k/ や /p, t, k, b, d, g/ のように、共通した特徴をもった音《おん》のグループを**自然類**[3] (natural class) と

[3] 厳密には自然類とは「個々の構成要素を指定するのに必要な素性の数よりも少ない素性で指定できる」音のグループと定義されます(中野ほか 2015: 65)。

呼びます。

しかし、音《おん》をこのように素性の集合ととらえることに、どのような意義があるのでしょうか。考えられる意義は以下の３点です。

第一に、音《おん》を自然類としてグループ分けすることは重要です。なぜなら、同じグループの音は、その言語の中で同じ規則に従って、同じパターンを示す傾向があるからです。たとえば、英語の気音は無声破裂音 /p, t, k/ に、また語末での開放の省略は破裂音 /p, t, k, b, d, ɡ/ に共通して現われる特徴です。

第二に、素性によって音《おん》どうしの類似点や相違点を効率的に説明することができます。たとえば、破裂音 /p, t, k, b, d, ɡ/ と鼻音 /m, n, ŋ/ は、VPM の枠組では「破裂音」と「鼻音」という異なる音に分類されます。しかし両者の違いは、前者が[−鼻音性]、後者が[＋鼻音性]であることなのです。

また、素性は音韻現象を分析して記述するのに役立ちます。日本語の「母音の無声化 (vowel devoicing)」を例に考えてみます。(地域差がありますが)日本語では(6)に挙げるような語で、母音を無声化する話者がいます(無声化は補助記号 [̥] で示しています)。これらの単語を観察して、母音の無声化の規則を考えてみましょう。どの母音が無声化するか、そして前後にどんな音《おん》があるのかに注目してみてください。

(6)　北 [ki̥ta]、きつね [ki̥tsune]、草 [ku̥sa]、地下 [tʃi̥ka]、視線 [ʃi̥seɴ]
　　 机 [tsu̥kue]、光 [çi̥kaɾi]、布団 [ɸu̥toɴ]、すし [su̥ʃi]、人 [çi̥to]

わかりましたか？ 日本語における母音の無声化の規則は次のように説明することができます[4]。

(7)　母音 /i/ または /u/ が、無声子音に囲まれたときに無声化する

母音の無声化の規則は、このように文章で書くことも可能です。もちろんこれで問題はないのですが、素性を使うと /i/ と /u/ の母音は[＋高] (高母音である)という共通点をもつことがわかります。また無声化というプロセスは、母音の[有

[4] 母音の無声化について詳しくは窪薗(1999)を参照。

声性]が、前後の音《おん》が[−有声性]であることに合わせて[+有声性]から[−有声性]に変化する現象です。このように、ある音が前後の音などの影響をうけて、前後の音と似た音(あるいは同じ音)になることを**同化**(assimilation)といいます。つまり、無声化は同化の一種であると説明できることがわかるのです。

机	[ts]	[u̥]	[k]	[u]	[e]
	[−**有声性**]	[+有声性]	[−**有声性**]		
		↓			
		[−**有声性**]			

このように、音《おん》を素性に「分解して」みると、音素という単位でとらえていたのではわからなかったことに気がつきます。素性を使って音を比較し、似た音をグループ分けすると、音にかかわる現象を効率的に説明できるようになるのです。

3.4　音の使い方のルール

ここまでの説明で、どうやら言語音の使い方には、それぞれの言語のなかでなにかルールがありそうだということがわかってきたと思います。ある言語のなかでの音《おん》の使い方を公式化したものを**音韻規則**(phonological rule)と呼びます。

ここでは、日本語の例をみていくことにします。たとえば、日本語のタ行の「たちつてと」の音素表記と異音表記は、それぞれ下のようになります。

(8)	タ行の音素表記	/ta/	/ti/	/tu/	/te/	/to/
	タ行の異音表記	[ta]	[tʃi]	[tsu]	[te]	[to]

[a, e, o] の前では [t] を使うのに、/i/ と /u/ の前では音《おん》が変わっていることに気がつきます。これを音韻規則として表わすと以下のようになります。

(9)　a.　/t/ → [tʃ] ／ __ /i/

b. /t/ → [ts] ／ __ /u/

音韻規則は (9) のように公式化できます。スラッシュ (／) の前に音《おん》の変化を示し、後ろには変化が起こる音声環境を書きます。下線部 (__) に、当該の音が入ります。つまり (9a) は「音素 /t/ が /i/ の前という音声環境で、[tʃ] に変化する」ということを示しているのです。

もう一つ、日本語の音韻規則を考えてみます。3.2.2 で触れたように、日本語の /ɴ/ (〈ん〉) には少なくとも次の 4 つの異音があります。挙げられた例を参考に、どのような規則があるか考えてみてください。

(10) a. [m]　しんぱい、しんまい、かんぱい、さんぽ、とんぼ

b. [n]　あんない、べんとう、こんど、はんのう、かんだい

c. [ŋ]　てんぐ、けんか、てんき、けんきゅう、かんごし

d. [ɴ]　かばん、あんぱん、みかん、こうきしん

/ɴ/ の後ろの音《おん》に注目します。/ɴ/ は、後ろの音が両唇音 /p, b, m/ のときは両唇鼻音 [m] に、後ろの音が歯茎音 /t, d, n/ のときは歯茎鼻音 [n] に、後ろが軟口蓋音 /k, g/ のときは軟口蓋鼻音 [ŋ] に変わります。そして、語末では /ɴ/ となります。つまり、後ろの音の調音位置に合わせて使われる異音が決まっているのです。これも同化の一種で、次のように示すことができます。

(11) /ɴ/ → [m] ／ __ /p, b, m/

→ [n] ／ __ /t, d, n/

→ [ŋ] ／ __ /k, g/

→ [ɴ] ／ __ # (# は語末を示す)

3.5　音の組合わせにかかわるルール

ここまで、音素、そしてさらにそれよりも小さい素性という単位を紹介してきました。ここからは、音《おん》を「分解する」のではなく「まとめて」考えてみます。まずは音節です。第 2 章で、音節とは「母音を中心とした音のまとまり」と説

明しました。音節は、図２のような構造になっています。

図２　音節構造

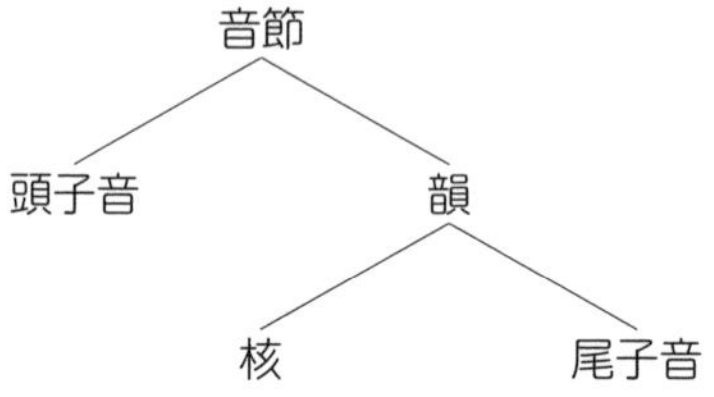

核（nucleus）は音節の中心で、通常は母音です。核の前にくる子音を**頭子音**（onset）、核の後ろにくる子音を**尾子音**（coda）、そして、核と尾子音をまとめて**韻**（rhyme）といいます。

実際の音節の形は言語によってさまざまです。日本語の場合は、ほとんどの音節は「頭子音１つ＋核」（例：手 /te/）で構成されます。これを CV と示します（C＝子音、V＝母音）。これに対し、「核のみ」（例：絵 /e/）や、「尾子音をもつ音節」（例：点 /teɴ/）は少ない傾向にあります。尾子音の位置にくることが許されるのは、「ん」や「っ」に限られます。そして日本語の場合、子音が続くことはありません。日本語がもつ音節の形は、非常に限られているのです。

それでは英語はどうでしょうか。たとえば、write /raɪt/ であれば、「頭子音・核・尾子音」がすべてそろっています。しかし、必ずすべてがそろう必要はないので、eye /aɪ/ のように「核のみ」、ice /aɪs/ のように「核＋尾子音」、high /haɪ/ のように「頭子音＋核」のときがあります。必須なのは核だけで、頭子音と尾子音はあってもなくてもよいのです。

また、１つの音節内で子音が連続することを**子音結合**（consonant cluster）といいますが、英語の場合は、頭子音と尾子音に２つ以上の子音をもつことが可能で、頭子音は最大３つ、尾子音は最大４つまでが許されます。ですから、最大では CCCVCCCC という音節がありうるわけです。そして、CV というパターンがほとんどの日本語と比べると、英語の音節のパターンは、CVC、CVCC、CCV、CCVC など 10 種以上と相当バリエーションが豊富です。

英語のように子音結合を許す言語であっても、子音の組合わせ方にはルールがあって、これを**音素配列論**（phonotactics）と呼びます。たとえば、英語の頭子音には 3 つの子音結合が許されますが、どのようなルールがあると思いますか？ 次の例語をみて、共通点を探してみましょう。

(12) spring /sprɪŋ/, splash /splæʃ/, street /stri:t/, stew /stju:/,
scuba /skju:bə/, scream /skri:m/, squat /skwɑt/

頭子音の 3 つの子音結合を説明するのに、母音に近いほうから 1, 2, 3 と番号を振って、$C_3C_2C_1$ と表わすことにします。$C_3C_2C_1$ の 1 つ目の子音（C_3）は、/s/ に限られることにすぐに気づいたはずです。実は C_2 と C_1 も限られた子音しか許されていません。C_2 は /p, t, k/（無声破裂音）、C_1 は /l, r, j, w/（接近音）なのです。このように、子音結合として許される組合わせには、言語ごとに制約があります。そしてこのようなルールは、その言語の母語話者なら感覚的にわかっていることです。英語母語話者なら、/fbs-/ や /nwp-/ で始まるような単語がないということを知っているのです。

3.6　脚で考える音のルール

最後に この節では、音節よりもさらに大きい、**脚**（foot）という単位を使って、英語の強勢に関して起こる現象について説明してみることにします。

第 2 章で説明したように、英語は強勢拍リズムをもっています。そのために、可能な範囲で、強い音節と弱い音節が交替で現われるような工夫をしています。その一つの例が「強勢移動（stress shift）」です。

英語では 2 音節以上の単語は、最も強い第 1 強勢と、その次に強い第 2 強勢をもつことがあります。たとえば fòurtéen は、第 1 音節に第 2 強勢、第 2 音節に第 1 強勢をもっています。(13a) では、fòurtéen の -téen と、gírls の強勢が隣り合っていて衝突を起こしてしまいます。そこで、これを避けるために、fourteen の第 1 強勢が左の第 2 強勢の位置に移動して、強弱の交替を作り出すのです。(13b) も同じ理由で起こる強勢移動の例です。

(13) a. fòurtéen + gírls　→ fóurtèen gírls

b. èconómic + pólicy → éconòmic pólicy

ここで、疑問に思った人もいるかもしれません。(13b)の económic の -mic は弱音節なので、強勢と強勢の間にクッションがあるように思えますよね。「英語ではこうなのだ!」と言われればそれまでですが、もう少しじょうずな説明はできないのでしょうか。そこで Carr (2019) の説明を借りて、英語の強勢移動という現象を、音節よりも大きい脚という単位を使って考えてみることにしましょう。

脚とは「強勢をもつ音節から始まるリズムの単位」のことです。それではここで、language、memory、Japanese、photographic という 4 つの単語の構造をみてみましょう(図 3)。音節を比較したとき、相対的に強いほうを strong の S、弱いほうを weak の W で表わすことにします。lánguage と mémory[5] は第 1 強勢のみをもち、それぞれ 1 つの脚で構成されています。それに対して、Jàpanése と phòtográphic は、第 1 強勢と第 2 強勢をもち、それぞれ 2 つの脚で成り立っています。そして、1 つ目よりも 2 つ目の脚のほうが強いということがわかります。

図 3　強勢と脚

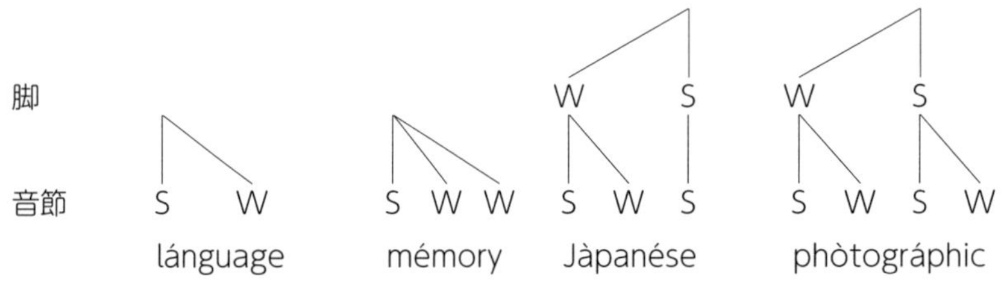

次に、Japanese language とつながった場合について考えます(図 4 の A)。脚をみると、S と S が隣り合っています。強勢移動とは、この衝突を避けるための、S と W の反転だということができます[6]。同じように、photographic

5 memory は 2 音節語として発音されることもあります。
6 Carr (2019) はこれを「リズムの反転 (rhythm reversal)」と呼んでいます。

memory という例をみてみましょう（図４の B）。音節レベルでみると、S と S の間に、W がクッションとして入るようにみえますが、脚のレベルに注目すると、S と S が隣り合っていることがわかります。

図４　強勢移動と脚

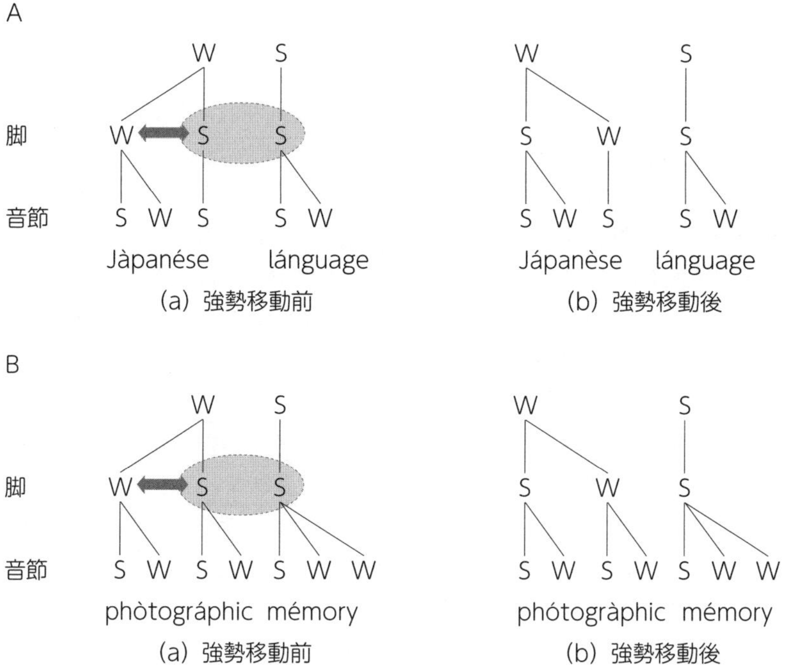

このように、音節の上にさらに脚という単位を設けることで、強勢移動をうまく説明することができるのです。

3.7　音の使い方を探究する音韻論

この章でみてきたように、音《おん》は、それぞれの言語で意味を伝達するために使われています。そして、もっている音素や実際に発音される異音は、言語によって異なります。人間は生まれたときには、すべての音を区別できる能力をもっているといわれています。ところが、自分の母語を身につけるにつれ、母語に必要な音以外の区別は無視するよう習慣づけられるのです。そのため、子どもが言語音を学ぶ過程は、実は言語「獲得」ではなく言語「喪失」だといわれることがあります。つまり、自分の母語に必要な区別には敏感なままで、自分の母語には必要のない無視してよい違いには鈍感になっていくのです。あらゆる細かな違いが気になってしまうとコミュニケーションどころではなくなってしまうので、それは意味の伝達の効率性を考えるとあたりまえのことです。

また、それぞれの言語には、それぞれの音韻規則があります。ある音素のどの異音をどの音声環境で使うのか、どのような音素の組合わせの音節なら許されるのか、どのような強勢やリズムの規則をもっているのか、などです。おもしろいのは、母語話者は、自分が自由自在に使いこなしている母語の音韻規則を、ほとんど無意識で使っていて、しかもそれをだれかからはっきりと教わったわけではないということです。たとえば、日本語の「ん」の使い分けや「母音の無声化」について、日本語母語話者は親や学校の先生から習ったりなどしていないのです。

さらに、言語の規則やルールには、どうやら個々の言語特有のものと、多くの言語に共通するものがありそうだということも興味深いことです。もちろん、世界に 7,000 語を超えるといわれる言語があるなか、英語や日本語など、いくつかの言語に共通している特徴があるからといって、軽々しく普遍性を語ることはできません。しかし、省エネのために起こる同化など、多くの言語に共通するルールがありそうだということは示唆されています。

音韻論とは、音《おん》に関してある言語にみられる規則や多くの言語が共通してもっていそうな規則を明らかにし、それらをどのようにしたら効率的に説明できるかを探求している学問分野なのです。

問題

1.　次の音《おん》の最小対を探してみましょう。

（1）英語　/m/ — /n/ ＿＿＿＿＿＿　/l/ — /p/ ＿＿＿＿＿＿

/t/ — /h/ ＿＿＿＿＿＿　/aɪ/ — /e/ ＿＿＿＿＿＿

/eɪ/ — /iː/ ＿＿＿＿＿＿

（2）日本語　/k/ — /s/ ＿＿＿＿＿＿　/t/ — /h/ ＿＿＿＿＿＿

/w/ — /n/ ＿＿＿＿＿＿　/a/ — /u/ ＿＿＿＿＿＿

/e/ — /i/ ＿＿＿＿＿＿

2.　次の英単語のペアは、それぞれ同じ母音をもっています。しかし、発音を比較してみると、左の単語のほうが、右の単語よりも母音が短く発音されます。左の単語にはどのような共通点があるか考えてみましょう。

/æ/ cap — cab　/oʊ/ wrote — road

/ɪ/ pick — pig　/aɪ/ ice — eyes

/uː/ proof — prove　/eɪ/ H — age

＿＿＿＿＿＿＿＿＿＿＿＿＿＿＿＿＿＿＿＿＿＿＿＿＿

＿＿＿＿＿＿＿＿＿＿＿＿＿＿＿＿＿＿＿＿＿＿＿＿＿

＿＿＿＿＿＿＿＿＿＿＿＿＿＿＿＿＿＿＿＿＿＿＿＿＿

3.　日本語では２つの単語をつなげて１つの単語を作るとき、後ろの単語の語頭の音が濁音に変わることがあり、それを「連濁」といいます。連濁の例を探して、どのような規則があるか考えてみましょう。

（例：「ほん＋たな→ほんだな」、「むかし＋はなし→むかしばなし」）

連濁の例：＿＿＿＿＿＿＿＿＿＿＿＿＿＿＿＿＿＿＿＿＿＿

＿＿＿＿＿＿＿＿＿＿＿＿＿＿＿＿＿＿＿＿＿＿＿＿＿

考えられる規則：＿＿＿＿＿＿＿＿＿＿＿＿＿＿＿＿＿＿＿＿

＿＿＿＿＿＿＿＿＿＿＿＿＿＿＿＿＿＿＿＿＿＿＿＿＿

4. 英語で頭子音を 2 つもつ単語を見つけましょう(例: stop /st-/)。そして、頭子音 CC の組合わせには、どのようなルールがあるか考えてみましょう。

5. 次の英語の語句では強勢移動が起こります。3.6 の例にならって、脚の構造を書いて確認してみましょう。

(1) New York City

(a)強勢移動前 (b)強勢移動後

(2) afternoon tea

(a)強勢移動前 (b)強勢移動後

(3) academic year

(a)強勢移動前 (b)強勢移動後

読書案内

カー，フィリップ(著)，竹林滋・清水あつ子(訳)（2021）『新版 英語音声学・音韻論入門』研究社.
窪薗晴夫（2016）『日本語の音声』（岩波オンデマンドブックス）岩波書店.
菅原真理子(編)（2014）『音韻論』（朝倉日英対照言語学シリーズ）朝倉書店.
Roach, Peter（2009）*English Phonetics and Phonology*. 4th ed. Cambridge: Cambridge University Press.

引用文献

窪薗晴夫（2016）『日本語の音声』（岩波オンデマンドブックス）岩波書店.
菅原真理子(編)（2014）『音韻論』（朝倉日英対照言語学シリーズ）朝倉書店.
中野弘三・服部義弘・小野隆啓・西原哲雄(監修)（2015）『最新英語学・言語学用語辞典』開拓社.
Carr, Philip（2019）*English Phonetics and Phonology: An Introduction*. 3rd ed. Hoboken, New Jersey: Wiley-Blackwell.
McMahon, April（2002）*An Introduction to English Phonology*. Oxford: Oxford University Press on Demand.

コラム 2 書き言葉と話し言葉

言語には「書き言葉」と「話し言葉」があります。書き言葉は「文字」を使用し、話し言葉は「音声」を使用するわけですが、違いはそれだけではありません。両者にはどのような違いがあるのでしょうか。また両者は、はっきりと区別できるものなのでしょうか。

まず、書き言葉と話し言葉の一般的な特徴を考えてみましょう。その際、典型的な書き言葉としては新聞記事や小説を、典型的な話し言葉としては日常会話などを思い浮かべてみてください。

第一の違いは**永続性**です。文字は記録として残るので、書き言葉は一定の時間をおいたあとでも内容を確認することができます。それゆえ、わたしたちは400 年以上前に書かれたシェイクスピアの劇を読むことができるのです。また一度読んだ文章を何度も読みなおして、よくわからない部分は辞書を調べながら確認することもできます。それに対して、話し言葉は一時的です。音声は発せられたそばから消えてしまいます。ですから、記録に残すために録音しないかぎりは、日常会話はその場ですぐに理解しなければいけません。相手が目の前にいれば聞き返すことができますが、基本的に理解はその場の「一回勝負」です。

また、発信者と受信者の**距離**も、書き言葉と話し言葉の違いといわれています。日常会話のような話し言葉は、比較的近くにいる特定の受信者を想定していて、返事や相づちが返ってくることが多いでしょう。それに対して、書き言葉の場合、受信者は物理的(距離・時間)に離れていることが多いのです。

もう一つの違いは、**事前準備**の有無です。書き言葉は、事前に準備をすることができます。たとえば、大学の授業のレポートや仕事の報告書などは、文章の組立てを慎重に考え、下書きをしたり書きなおしたりしながら作成することでしょう。書き言葉は十分な準備ができるので、むだな繰返しは少なく、よく見直してあれば書き間違いなどはありません。一方、話し言葉は、考えながら話すので、言いなおしや言いよどみ、繰返しもみられます。

次は、以上のような特徴を踏まえて、書き言葉と話し言葉には、語彙や構造のうえでどのような違いがあるのかを考えてみます。たとえば、同じ意味をもつ語でも、「すごい－すごく－とても－非常に－きわめて」など、より話し言葉的なものから書き言葉的なものまで幅があります(石黒 2011: 16)。書き言葉と話し言葉の主な特徴をまとめたものが表 1 です。

表 1　書き言葉と話し言葉の語彙・構造の違い

	書き言葉	話し言葉
語彙	語彙密度[1]が高い 専門用語などむずかしい語が多い 長い語が多い	語彙密度が低い 俗語や簡単な語が多い 短い語が多い
構造	文が長い 文法的に完全な文 複雑な構造の文 省略が少ない	文が短い 不完全な文 単純な構造の文 省略が多い

(Cook (2004)、Flowerdew & Miller (2005)、山本・大西(2003)を参考に作成)

表の中に**語彙密度**という用語がありますが、これは語彙数のうちの内容語の割合のことです。内容語とは、名詞・動詞・形容詞に代表されるような情報量をもつ語のことです。書き言葉は語彙密度が高い、つまり内容語の割合が高いといわれています。

表 1 に挙げた以外にも、文脈に依存する直示表現が多いことも話し言葉の特徴です。文脈に依存できるのは、発信者と受信者が同じ場にいることが多いからです。一方、書き言葉は、語彙的・文法的結束性を比較的丁寧に示すことが多いのが特徴です(直示表現と結束性については第 9 章を参照)。

そして、最初にも書いたとおり、書き言葉と話し言葉の最大の違いは、前者が「文字」を、後者が「音声」を使うという点です。文字言語では、文字を使い分けて単語の、句読点を使って文のまとまりを示します。それに対して、音声言語では、アクセント(または強勢)を使って単語の、リズム・イントネーショ

[1] 語彙密度の定義は複数ありますが、ここでは Cook (2004) の「語彙密度＝内容語÷語彙数」を採用しました。

ンや休止を使って文のまとまりを示します。ほかにも、声質や声の大きさ・高さをコントロールすることで、感情や態度を伝えることができます(これらを**パラ言語**と呼びます)。

日本語について、「にわにわにわにわとりがいる」という早口言葉を例に考えてみましょう。文字言語では漢字・平仮名・カタカナを使い分けて「庭には2羽ニワトリがいる。」と書くことができます。すると、「庭」「2羽」そして(ニワトリの)「ニワ」の意味の区別がはっきりします。また、「にわ」と発音される助詞は「には」と書くのが規則です。さらに、句点をつけることで、文の終わりを示すことができます。一方、音声言語では、「庭」と「2羽」は東京方言の場合はアクセントで区別し、文末はイントネーションを下げることで示します。

次に英語の例をみてみましょう。“What are the differences between speech and writing?” という文では、文頭が大文字で始まり、単語間にスペースがあり、文末に疑問符をつけます。それに対して、音声言語では “whatarethedifferencesbetweenspeechandwriting” のように文字言語のヒントが消えてしまう代わりに、強勢が単語のまとまりを(例: dífferences)、リズム・イントネーションが文のまとまりや、文の終わりがどこかを示すわけです。

ここまで、書き言葉と話し言葉の違いについて説明してきましたが、読みながら、それほど明確に区別できるのだろうかと思った人もいるかもしれません。たとえば、書き言葉でも、買物リストは事前に準備をせずに思いつくまま書いて、用が済めばすぐに捨ててしまいます。また、話し言葉でも、結婚式のスピーチなら、ぶっつけ本番で話す人はまずいないでしょう。何を話すかあらかじめ考えて、場合によっては原稿を準備するはずです。そして、録音・録画技術の発達により、過去の有名なスピーチは記録され、何年も経ったあとでも聞くことが可能です。

言語を使う場面は、学校での授業、政治家の演説、広告のキャッチコピー、就職活動の面接、電車内のアナウンス、歌詞など、さまざまです。それぞれが、書き言葉と話し言葉の両方の特徴を合わせもっているといえそうです。

インターネットやソーシャルメディアの普及により、新しいコミュニケーションの形が増えました。動画配信サイトを通して、だれでも、話し言葉を使って、不特定の受信者にメッセージを発信することができます。チャット、Twitter、

LINE では、書き言葉でありながら、リアルタイムの会話と同じ感覚で言葉のやりとりをしているはずです。そして、そのときは、短縮語や頭字語など、ネットやソーシャルメディア特有の短い単語を使います（例：り、LOL）。また、書き言葉では欠けてしまう音声情報の代わりに、大文字を使ったり 文字を重ねたりする方法（例：Feel sooo good!）に加えて、絵文字やスタンプを使うようになりました。絵文字やスタンプはちょうど、話し言葉におけるパラ言語の役割を担っているともいえます。

つまり、コミュニケーションの形が多様化するにつれ、書き言葉と話し言葉の境界線はさらにあいまいになってきているのです。

読書案内

クック，ビビアン（著），岡田毅・石崎貴士（訳）（2008）『英語の書記体系』音羽書房鶴見書店.

Crystal, David（2006）*How Language Works*. London: Penguin Books.

引用文献

石黒圭（2011）「話し言葉と書き言葉：初年次教育の基礎資料として」『言語文化』48: 15–35.

山本雅子・大西五郎（2003）「話し言葉と書き言葉の相互関係：日本語教育のために」『言語と文化』8: 73–90.

Cook, Vivian（2004）*The English Writing System*. London: Routledge.

Flowerdew, John & Miller, Lindsay（2005）*Second Language Listening: Theory and Practice*. Cambridge: Cambridge University Press.

第４章　単語のしくみ（形態論・語彙論）

この章で学ぶキーワード

形態素、自由形態素、拘束形態素、語根、接辞、接頭辞、接尾辞、クランベリー形態素、単純語、複合、派生、逆成、縮約・短縮・省略、頭字語、イニシャリズム、混成、異分析、語種、借用語、和語、漢語、外来語、二重語、語根創造、オノマトペ、新語、流行語

4.1　単語を分解してみよう —— 形態素

皆さんは「単語」と聞いて何が頭に浮かびますか。辞書の見出しや、単語帳に書いた英単語などでしょうか。

まずは、単語の構造を知るために、次の単語を、意味がなくならない最小のパーツに分解してみましょう。

(1)　a. あんぱん　　クリームパン　　ジャムパン　　メロンパン
(2)　a. うま煮　　含め煮　　雑煮　　ごった煮

それぞれ、以下のように分解できますね。

(1)　b. あん–ぱん　　クリーム–パン　　ジャム–パン　　メロン–パン
(2)　b. うま–煮　　含め–煮　　雑–煮　　ごった–煮

(1b)や(2b)で分解されたパーツのように、意味をもつ最小の単位を**形態素**(morpheme)と呼びます。分解されたパーツをよく見ると、(1b)と(2b)とでは少し性質が違うようです。そこで、分解されたそれぞれのパーツが「○○を食べる」の「○○」にあてはめられるかどうか調べてみましょう。違和感なく

あてはめられれば、単語として使えるものだとわかります。

(1b)はすべて「○○を食べる」にあてはめられます。このように、単独で単語になることができる形態素を**自由形態素**(free morpheme)と呼びます。一方、(2b)の「うま」「含め」などのように、単独では単語として使えない形態素を**拘束形態素**(bound morpheme)と呼びます。

拘束形態素のなかには、語彙的な意味をもつものともたないものの2種類があります。たとえば(2b)の「うま」「含め」「煮」は単独では単語として使えませんが、すべて語彙的な意味をもっています。このようなものを**語根**(root)と呼びます。それでは、次の下線部はどうでしょうか。

(3) ご-返事　　　お-客-さん　　　小-高い　　　高-さ

これらは語彙的な意味をもつというよりは、尊敬や丁寧のニュアンスを添えたり、意味の度合いを示したり、あるいは別の品詞に変えたりするという点で、機能的・文法的な意味をもつものです。このようなものを**接辞**(affix)と呼びます。接辞はその位置によってさらに2つに分けられます。「ご」や「小」のようにほかの形態素の前に付くものを**接頭辞**(prefix)、あとに付くものを**接尾辞**(suffix)と呼びます。日本語の接頭辞には敬語に属する「お」(お言葉)、「貴」(貴校)、サイズや度合いを表わす「大」(大事件)、「ミニ」(ミニ政党)、「超」(超豪華)のほか、否定を表わす「無」(無意識)、「未」(未開発)などがあります。接尾辞には「らしい」(形容詞)、「的」(形容動詞)、「めく」(動詞)のように品詞性を表わすものがあります。

このほか、**クランベリー形態素**(cranberry morpheme)と呼ばれる特殊な例があります。ある特定の語の中にだけにみられ、特定の意味をもたず、別の語との区別のためだけに機能するといわれる形態素です。たとえばcranberryのcranの部分がこれに該当します。cranberryと同じように後半にberryが付くstrawberryやblueberryのstraw、blue、berryはそれぞれ意味をもっていますが、cranberryのcranはそれ単独では意味をなさず、strawberryやblue-berryとの区別のためだけに機能しています。英語ではほかにlukewarmのluke-、ineptの-eptなどの例があります。それでは、日本語の似たような例をみてみましょう。

(4) a. ヒヨドリ　チドリ
b. カモメ　スズメ　ツバメ
c. カラス　ウグイス　ホトトギス

(4a)から(4c)まですべて鳥の名前です。『万葉集』の時代から、(4a)の「ドリ」と同様に、(4b)の「メ」、(4c)の「ス」は鳥という意味をもち、その前の部分は鳴き声を模写したものではないかと考えられています。しかし、現代語の感覚では下線部が意味をもっているとは考えにくいことから、クランベリー形態素の一種ととらえることができるのです。

4.2 パーツを組み合わせて単語を作る —— 複合・派生

4.1 で観察した単語の構造は、視点を変えると、単語がさまざまな方法で新たに作り出される様子としてとらえることができます。これを**語形成**(word-formation)、そしてその方法を**造語法**といいます。それでは、4.1 で学んだ形態素がどのように組み合わさって単語ができているかを考えてみましょう。以下の A〜C にあてはまる単語の例を、(5)〜(7)から見つけてみてください。

A：自由形態素 1 つだけからなる単語
B：複数の自由形態素を組み合わせた単語
C：接辞を含む単語

(5) 真っ暗な井戸の底であまりにも長いあいだ集中してものを考えすぎたためか、思考力はもう底をついてしまっていた。(村上春樹『ねじまき鳥クロニクル』)
(6) 通りがかりの子どもたちに撫でられて、お地蔵さんの頭がすり減っていくみたいに。(村上春樹『1Q84』)
(7) 牛河はわけもなく深い無力感に襲われた。この監視は結局無駄骨に終わるかもしれない。(村上春樹『1Q84』)

A に該当するのは「井戸」「もの」「頭」「わけ」などの名詞、「つく」「撫でる」

などの動詞、「長い」「深い」などの形容詞や「結局」のような副詞、そして「の」「で」「た」「ない」といった助詞や助動詞です。このように自由形態素1つから構成される単語を**単純語**(simple word)といいます。

「単語」というと単純語のイメージが強いかもしれませんが、実は単語の多くは2つ以上の形態素で構成されています。このうち、複数の自由形態素を組み合わせて単語を作ることを**複合**(compounding)といいます。これによってできた複合語Bの例が、「考え すぎる」「無駄 骨」です。そして、Cのように接辞を用いて単語を作ることを**派生**(derivation)といいます。「真っ暗」「思考力」「無力感」「お地蔵さん」がこれに該当します。

4.3　形を変えて単語を作る —— 逆成、縮約・頭字語化、異分析

今度は、単語の形を変えて新しい単語を作り出す造語法について考えてみましょう。

はじめに、語のもつ品詞としての文法的機能が失われ、別の品詞としての性質をもつようになる例をみてみましょう。日本語も英語も(8a)(8b)のように接尾辞を使ってこれを行なうほか、日本語では動詞を連用形にして名詞形をつくる転成という現象がみられます。

(8)　a. 春 → 春めく　　厚い → 厚さ　　機能 → 機能的
　　b. active → activate　　donate → donation　　quick → quickly
　　c. 走る(動詞) → 走り(名詞)、あまる(動詞) → あまり(副詞)
　　　およぶ(動詞) → および(接続詞)、よい(形容詞) → よし(感動詞)

接辞を用いる派生[1]とは逆方向のプロセスで言葉を作る方法が**逆成**(back-formation)です。この例としてよく挙げられるのは英語のbabysit(ベビーシッターをする)です。babysitはbabysitよりも先にできていた単語babysitter(ベビーシッター)の末尾に付いているerを「～する人」を表わす接尾辞-erと類推して、これを削除することによって新たにできた動詞です。このような例は、次の(9)

[1] large → enlargeのように、接頭辞を使う派生もあります。

のように、英語に多くみられます。

(9) escalate (エスカレートする) ← escalator (エスカレーター)
televise (テレビで放送される) ← television (テレビ)
isolate (孤立させる) ← isolated (孤立した)
jell (ゼリー状になる・する) ← jelly (ゼリー)

このほか、本来 派生語ではない語の末尾を接辞として削除して新語を作り出した、burgle(他人の家に押し入る) (← burglar 強盗)のような例もあります。

日本語には英語ほど豊富な例はありませんが、(8c)のように動詞の連用形から名詞が作り出されることから類推して、逆方向のプロセスで動詞を形成することがあります。たとえば、名詞「たそがれ」はもともとうす暗くて人の見分けがつきにくいときに、「誰《た》そ彼は」つまり「あれはだれか」と尋ねる言葉だったといわれていますが、類推によって動詞の活用語尾が付加されて動詞「たそがれる」が作り出されました。また、「目論《もくろ》む」は「目論」の音読み「目論《もくろん》」を活用させた動詞だといわれています。

次に、言葉を縮めて新語を作る**縮約**[2](clipping)をみてみましょう。これは日本語でも若い世代を中心に広くみられる現象です。縮約のパターン別に、日本語、英語それぞれの例を挙げてみましょう。

(10) a. 携帯(電話)、百科(事典)、テレビ(ジョン)
b. exam(ination)、info(rmation)、lab(oratory)
(11) a. (アル)バイト、(ヘル)メット、(プラット)ホーム
b. (tele)phone、(air)plane、(omni)bus
(12) a. 警(察)官、フリー(アルバイ)ター
b. (in)flu(enza)、(re)fridge(rator)
(13) 特(別)急(行)、就(職)活(動)、ワー(キング)ホリ(デー)

(10)は前の要素を残して後ろの要素を省略した例、(11)はその逆で前の要

[2] 縮約のほか、短縮、省略と呼ばれることもあります。

素を省略して後ろの要素を残した例です。(10)に比べて(11)に該当する例は多くありません。それは前の部分を残したほうが省略した部分を想起しやすいためです。逆に想起しにくいほうが好都合となる隠語「(警)サツ」「(麻)ヤク」などは、(11)のように前の部分が省略されています。(12a)はまん中を省略した例、(12b)は前後を省略してまん中を残した例ですが、(12a)の該当例は日本語のみ、(12b)の該当例は英語のみとなっています。(13)は日本語によくみられる複合語の複数の箇所が省略される例で、「トッ・キュウ」「シュー・カツ」のように２拍の組合わせで、「ッ」「ー」「ン」などを含む場合が多いようです。

ちなみに、単語の縮約は、その単語が「よく使われること」と「語形が長いこと」という２つの条件がそろったときに起こります。(10)～(13)の例でも、長い複合語や英語からの外来語が略される傾向にあることがわかります。これは、英語が外来語として日本語に取り入れられると必然的に音節数が増えてしまうことがその理由です。そして、そのようにして縮約されたカタカナ語のほとんどは、「パソコン」「ワーホリ」のように、英語では通じない和製語となります。

いくつかある縮約方法のうち、アルファベット化して略した言葉を**頭字語**(acronym)といいます。

(14) a. AI (artificial intelligence、人工知能)
LCC (low-cost carriers、格安航空会社)
WHO (World Health Organization、世界保健機関)
b. LAN (Local Area Network、構内情報通信網)
JPEG (Joint Photographic Experts Group、ジェイペグ(静止画像の圧縮方式))
APEC (Asia-Pacific Economic Cooperation、アジア太平洋経済協力会議)

(14a)は「エー・アイ」のように１文字ずつ発音するもので、**イニシャリズム**(initialism)と呼んで区別することもあります。これに対し、(14b)は「ラン」「ジェイペグ」のように単語として読みます。

次に**混成**(blending)の例をみてみましょう。これは異なる単語のはじめと終わりの部分をつなぎ合わせて新語を作る方法です。もとの単語どうしには意味的になんらかの関連性があることがほとんどです。

(15) a. とらえる＋つかまえる → とらまえる
破る＋裂く → 破く
装う＋盛る → よそる
b. breakfast（朝食）+ lunch（昼食）→ brunch（朝食兼昼食）
motor（自動車）+ hotel（ホテル）→ motel（自動車旅行者用ホテル）
smoke（煙）+ fog（霧）→ smog（煙霧）

(15b) と同じ混成の例に、雑誌（magazine）と書籍（book）の中間的性格の本であるムック（mook）というものがあります。これは日本ではおなじみの存在ですが、実は日本の出版業界の造語で、英語ではあまり定着していません。

このほかに、単語の切れ目を誤って分析してしまう**異分析**（metanalysis）によって新たな語ができることがあります。たとえば apron（エプロン）は、a napron が an apron と異分析された結果生まれた語です。また、英語の hamburger は Hamburg＋er（「ハンブルグの」を表わすドイツ語）に由来し、hamburger steak をパンではさんだ食べ物を指していましたが、あるとき ham＋burger と異分析されて、ハムの代わりに別の具材名に置き換わった baconburger のような新しい語が誕生したのです。日本語の「あかぎれ」は、本来「あ（足）＋かがり（ひびがきれる）」であったのが「あか（垢・赤）＋がり」と異分析され、意味が不明な「がり」を「切れ」と変形させて「あかぎれ」という語になったと考えられています。

4.4 ほかの言語から単語を借りる —— 借用

最後に、ほかの言語から単語を取り込んで新しい言葉を作り出す方法についてみていきましょう。

言葉の出自に基づく分類を**語種**といいます。語種は大きく、その言語固有の単語と、外国語からの**借用語**（loanword）の２つに分けられます。ただし「借用」といっても「返却」することはないので、「輸入」といったほうがイメージしやすいかもしれません。

日本語固有の語種を**和語**といいます。大和言葉とも呼ばれ、まだ日本人が文字をもたなかったころから使われつづけている言葉です。中国から漢字が伝来して日本で使われるようになってから、その漢字の意味を表わす和語と結びついて定着したのが漢字の訓です。『万葉集』はほぼ100％がこの和語によって構成されています。

古い時代に中国語から入ってきた言葉を**漢語**といいます。漢語は漢字の音読みに相当します。本来、漢語は中国由来のものを指していましたが、のちに「物騒がし→物騒」「火の事→火事」のような日本製の漢語や、「哲学」「郵便」など明治初期に西洋語の翻訳語として作られた漢語も含むようになりました。

16世紀になると、ポルトガルやスペインとの貿易が始まりました。これがいわゆる**外来語**[3]の始まりです。(16)はポルトガル語由来の言葉ですが、漢字表記される言葉や「襦袢」「天麩羅」のように日本文化と結びついた言葉については、外来語だということを知らなかった人もいるかもしれません。

(16) 合羽　背広　襦袢　金平糖　天麩羅
煙草　歌留多　パン　ボーロ　カステラ

その後 鎖国政策がとられていた間、日本はオランダを介して西洋文化に接してきたこともあり、オランダ語由来の外来語には日常語や医学用語が多くみられます。

(17) コーヒー　ドロップ　ランドセル　ガラス　メス　アルコール

そして、開国後の日本は、近代化に伴いさまざまな外国語から言葉を取り入れて現在に至ります。なかでも、英語以外の外国語から借用した言葉をみると、借用元の言語がそれぞれ特定の分野と結びついていることがわかります。以下の(18)をみてみましょう。

(18) a. ［ドイツ語］カルテ、ガーゼ、レントゲン、エネルギー、テーマ

3　一般的に、中国語由来の言葉のうち、外来語として扱われるのは、近世以降に日本語に入ってきたもので、それ以前に入ってきたものは漢語として扱われます。

b. ［フランス語］ アトリエ、クレヨン、ズボン、マント、オムレツ
c. ［ロシア語］ ノルマ、カンパ、トロイカ、イクラ、ウォッカ
d. ［イタリア語］ ソプラノ、オペラ、ソナタ、パスタ、ドルチェ

(18a)のドイツ語は医学・思想哲学、(18b)のフランス語は芸術・ファッション、(18c)のロシア語は労働、(18d)のイタリア語は音楽に関係する言葉が多く、ほかに、それぞれの国の食文化に関する語もみられます。

ちなみに、借用には原語(＝借用元の言語)にできるかぎり近い発音を維持しようとする直接借用と、自分たちの言語に翻訳して借用する間接借用とがあり、どちらの比率が高いかは言語によって異なります。現代日本語では直接借用が中心で、たとえば convenience store を「コンビニエンスストア」と直接借用していますが、韓国・朝鮮語では「便宜店」をハングル表記した「편의점」(ピョニジョム)、中国語では「便利店」(biànlìdiàn)のように間接借用しています。

借用はどの言語にもありますが、状況は言語によってさまざまです。英語も借用による語彙を多く含む言語で、ラテン語、バイキングがもたらしたスカンジナビアの言語、ギリシャ語、フランス語、ドイツ語などから多くの語を借用していますが、その歴史は少々複雑です。それはそれらの語彙が直接英語に取り入れられたのではなく、ほかの言語を介して英語に入ってきたからです。たとえば chess という語は 14 世紀にフランス語から借用されたのですが、そのフランス語にはペルシャ語起源の語がアラビア語を経由して入ってきたとされています。

そして、日本語の「パジャマ」は英語由来の語としている国語辞典が多いのですが、起源はペルシャ語にさかのぼり、ヒンディー語を経由して、英語から日本語に借用された語です。

また、語源の同じ語が異なった語形で併用される**二重語**(doublet)となることがあります。指す対象は少し違いがありますが、「カップ」と「コップ」は名前が似ているなと思ったことはありませんか。実は同じラテン語 cuppa(cūpa「桶」の異形)が英語を経由して入ったのが「カップ」、オランダ語から入ったのが「コップ」なのです。同様の例には「ガラス」(オランダ語 glas から)と「グラス」(英語 glass から)、「ゴム」(オランダ語 gom から)と「ガム」(英語 gum から)などがあります。また、英語 volley に基づく「バレー(ボール)」と「ボレー」

や、英語 truck に基づく「トラック」と「トロッコ」のように、英語から日本語に入ったあとで発音と意味が分かれた例もあります。

このほか、統計上は借用語に含まれる和製語があります。漢語にも和製語はありますが、ここではいわゆる和製英語の例をみてみましょう。

(19) a. ガソリンスタンド　トレーニングパンツ　パソコン　フリーター
　　 b. プライスダウン　スキンシップ　レディーファースト

(19a) は和製語であることが比較的よく知られている語ですが、(19b) は英語由来だと思われることが多い語です。このような和製語の多くは、実在する英単語と組み合わされているために、和製語であることが気づかれにくいのです。

4.5　新たに単語を作り出す —— オノマトペ・新語

4.2〜4.4 では、既に存在していた語をもとにした造語法をみてきました。この節では、全く新しい語を作り出す造語法である**語根創造** (root creation) を取り上げます。現代語ではこの語根創造は**オノマトペ** (onomatopoeia) 以外ではまれだといわれています。まずはこのオノマトペの分類や特徴をみていきましょう。オノマトペは音象徴語とも呼ばれるもので、一般に擬音語 (20a)、擬声語 (20b)、そして擬態語 (20c) に分類されます。

(20) a. ゴーゴー、ドーン、ザーザー、カタカタ、ピピッ、ブー
　　 b. ワンワン、エーンエーン、ゲラゲラ、キャーキャー、ペチャクチャ
　　 c. サラサラ、キラキラ、ヨチヨチ、サクサク、ノロノロ

しかし、分類がはっきりしない場合もあります。たとえば「ゴロゴロ」は猫の鳴き声ならば擬声語、雷ならば擬音語、休日くつろぐ様子なら擬態語というように、複数の種類にまたがる例も少なくありません。

金田一春彦 (1988) はこれらをさらに細かく５つに分類して、「いらいら」「むしゃくしゃ」など心の中を音で形容する語句を擬情語と呼び、外国人には理解困難だろうと述べています。

オノマトペは東アジアの言語に多いといわれ、韓国・朝鮮語もその一つですが、語の豊富さ、体系性および使用頻度において群を抜いているのが日本語です。その表現効果から、漫画や広告、キャッチコピー、そして小説や詩などに多用されています。また、わたしたちが日常生活で普通に使っている「きらめく」や「パサつく」という表現は、実はオノマトペが語根となって作られた派生語なのです。

それでは最後に、**新語**についてみてみましょう。ある言語で新たに使われるようになった語を新語といいます。新語が生まれる理由には、主に以下の3点が考えられます。

(21) a. 新たに生まれた事物を表わす言葉が必要な場合
「猛暑日[4]」「自撮り」「可視化」「スマートフォン」
b. 既存の事物に新たなイメージを与える言葉が必要な場合
「共働き」(←共稼ぎ)、「シニア」(←シルバー)
c. 差別語の回避や言語政策的な理由で言い換えが必要になる場合
「女性警察官」(←婦人警官)、「発展途上国・開発途上国」(←後進国)

「スマートフォン」「ダイバーシティ」に代表されるように、新しい外来語はすべて新語といえますが、それ以外の新語のほとんどは、既に存在する語の変形によって作られます。和語や漢語の新語は、「ふわとろ」「がっつり」「いらっと」「まるっと[5]」のようにオノマトペに近い言葉や、「ほぼほぼ」「婚活」「終活」など多少俗語的な語感をもつものも少なくありません。そして、これらの新語は、急激に使われるようになって短期間で消滅してしまう**流行語**との区別がむずかしいことも多いのです。

[4] 最高気温が35℃以上の日。気象庁が2007年から使うようになった予報用語の一つ。
[5] 「まるごと」を意味する愛知県の方言に由来する言葉。

問題

1.　次の例を、(a) 単純語、(b) 複合語、(c) 派生語に分類しましょう。迷う場合は、クラスメートに意見を聞いてみましょう。

きゅうり	積極的	計画経済	生ハム
たけのこ	プチ整形	まぶた	所帯じみる
行き帰り	人づき合い	整える	本格派
未開封	没交渉	手書き	重ね重ね

(a) 単純語	
(b) 複合語	
(c) 派生語	

2.　以下の (1)～(4) のパターンにあてはまる例を探してみましょう。できれば日本語だけでなく、英語の例も探してみましょう。

(1) 前の部分を残して、後ろを省略した語　(例: 携帯(電話)、マイク(ロフォン))

(2) 前の部分を省略して、後ろの部分を残した語　(例: (友)だち、(アル)バイト)

(3) 複合語の省略　(例: 学(生)割(引)、リモ(ート)コン(トローラー))

(4) 頭字語　(例: EU(European Union)、UFO(unidentified flying object))

3.　金田一春彦は、1978 年刊行の『擬音語・擬態語辞典』の概説で、日本語には味覚に関する擬態語が乏しいと述べています。この辞典の出版から 40 年以上経過した今、わたしたちの身のまわりには味覚に関する擬態語がどのくらい増えたでしょうか。グルメ雑誌やグルメサイトから、現在の味覚や食感に関する擬態語を探してみましょう。

読書案内

沖森卓也・阿久津智(編著) (2015)『ことばの借用』(日本語ライブラリー) 朝倉書店.
沖森卓也(編著) (2012)『語と語彙』(日本語ライブラリー) 朝倉書店.
小椋秀樹(編) (2020)『日本語の語彙・表記』(コーパスで学ぶ日本語学) 朝倉書店.
小野正弘(編) (2007)『日本語オノマトペ辞典 ── 擬音語・擬態語 4500』小学館.
窪薗晴夫(2002)『新語はこうして作られる』(もっと知りたい! 日本語) 岩波書店.
窪薗晴夫(編) (2017)『オノマトペの謎 ── ピカチュウからモフモフまで』(岩波科学ライブラリー) 岩波書店.
竝木崇康(2006)『単語の構造の秘密 ── 日英語の造語法を探る』(開拓社言語・文化選書) 開拓社.
長谷川瑞穂(編著) (2014)『はじめての英語学(改訂版)』研究社.
山口仲美(編) (2015)『擬音語・擬態語辞典』(講談社学術文庫) 講談社.

引用文献

浅野鶴子(編), 金田一春彦(解説) (1978)『擬音語・擬態語辞典』(角川小辞典 12) 角川書店.
金田一春彦(1988)『日本語 新版(上・下)』(岩波新書) 岩波書店.
村上春樹(1994)『ねじまき鳥クロニクル〈第 2 部〉予言する鳥編』(新潮文庫) 新潮社.
村上春樹(2010)『1Q84 BOOK 3』新潮社.

第5章 意味の世界（意味論1）

この章で学ぶキーワード

同音異義語、同音語、同綴異義語・同形異義語、多義語、直喩・明喩、メタファー、死んだ比喩、概念メタファー、メトニミー、シネクドキー、自由結合、連語・コロケーション、イディオム・慣用句

5.1　いろいろな意味のとらえ方

言葉は、使われる文や文脈によって解釈が変わることがあります。手始めに「足」または「脚」を使った文を思いつくままに挙げて、意味別に分類してみましょう。

（1）足が長い／足をねんざする
（2）グラスの足／机の脚
（3）足が速い／帰宅した足で
（4）足の便が悪い／(出かけるのに)足がない
（5）足を運ぶ／足が遠のく
（6）足がすくむ／足がつく／足が出る／足を洗う

(1)は体の一部分、(2)は足に類似した部分、そして(3)～(5)は足の機能や役割、交通手段、移動の意味として使われた例です。(6)にはそのほかのさまざまな慣用表現を集めてみました。

このように、人間や動物の体の一部分を指す「足」または「脚」は、その使われ方によってさまざまな解釈が可能であることがわかります。では、それぞれどのように関連し合っているのでしょうか。また、わたしたちはどのように意味の違いを見分けているのでしょうか。

第５章では、こうした意味の拡張のメカニズムを探っていきます。

5.2　意味の違いの見極め方 —— 同音語と多義語

始めに、以下の下線部のカタカナを漢字にしてみましょう。

(7)　キシャのキシャはキシャでキシャした

スマートフォンやパソコンで文を最後まで入力してから変換ボタンを押すと、正しい漢字に変換されて出てくることでしょう。「貴社」「記者」「汽車」「帰社」はすべて同じ音形ですが、それぞれ意味的には無関係な別語です。このような言葉を**同音異義語**(homonym)と呼びます。皆さんもうっかり同音異義語に誤変換してしまった経験があることでしょう。

身のまわりから、もう少し同音異義語を拾ってみましょう。

(8)　a.　くも(雲／蜘蛛)、あめ(雨／飴)、はし(橋／端／箸)
　　b.　キギョウ(企業／起業)、キカイ(機会／機械／奇怪／棋界)、シリツ(私立／市立)
　　c.　ライト(light(光)／right(右))、コーン(corn(トウモロコシ)／cone(円錐《すい》))
　　d.　ねる(寝る／練る)、たつ(立つ／絶つ)
　　e.　あつい(暑い／厚い)、こわい(怖い／強い)
　　f.　かえる(蛙／帰る)、ふかい(深い／不快)

(8a)～(8c)は名詞の例です。日本語は音節の種類が少ないため、外国語に比べて**同音語**(homophone)が多く存在します。(8a)は日本の固有語である和語、(8b)は古代中国音に基づく漢語、(8c)は英語由来の外来語の例ですが、(8b)のような漢語の例が最も多くみられます。日本漢字能力検定協会によると、最も多い同音異義語は「コウショウ」で、『広辞苑』には「交渉」「高尚」「校章」をはじめ、48語の掲載があるそうです。(8b)のうち、「シリツ」の２語はアクセントも同一で指示対象も類似しているので、たとえば「シリツ高校に通う」

と耳で聞いても判別がつきません。そこで、「わたくしりつ」「いちりつ」と呼び分けることがあります。

(8d) は動詞、(8e) は形容詞の例です。このほか (8f) のように品詞が異なる同音異義語のペアも存在します。

古代日本では、言葉には「言霊《ことだま》」という不思議な力が宿っていると信じられていました。この言霊信仰から生まれた風習の一つが忌《い》み言葉で、不吉な言葉やそれと同じ音の言葉は災いをもたらすと恐れられ、別の言葉で呼び替えられました。たとえば漫画でも有名な東京の地名「亀有」は、「亀無」「亀梨」と記された中世の文献があるのですが、のちに「なし」を忌み嫌って改称されたといわれています[1]。植物の「葦《あし》」は「悪し」と音が同じなので 正反対の意味の「良し」と同じ音の「葭《よし》」に、また「するめ」も「する」が「(賭け事で大金を) する」と同じ音で縁起が悪いので、正反対の「当たり」にして「あたりめ」と呼び替えたりしています。

同音異義語は日本語以外の言語にも存在しますが、英語は日本語よりも少々複雑です。(9a) のように発音が同じで綴りが異なる場合を**異綴同音異義語**と呼び、(9b) や (9c) のように綴りが同じで意味が異なる場合を**同綴異義語** (homograph) または**同形異義語**と呼んで区別することがあります。

(9) a. right (右、正しい) ／ write (書く)、which (どれ) ／ witch (魔女)
　　b. bat (コウモリ／バット)、race (競争／人種)
　　c. kind (種類／親切な)、sole (唯一の／ヒラメ)

ここまでみてきた同音異義語は、意味や語源が異なる語のペアやグループですが、複数の語が同じ形で意味も関連している場合にはそれらを**多義語** (polysemic word) と呼びます。いくつか例をみてみましょう。

(10) a. 手を洗う　　b. 手が足りない　　c. きたない手を使う
(11) a. バットを振る　　b. 大役を振る　　c. 恋人をふる
(12) a. 鋭い刃物　　b. 鋭い痛み　　c. 鋭い指摘

[1] "かめありむら【亀有村】東京都：葛飾区"(『日本歴史地名大系 13 巻　東京都の地名』937 ページ)

いずれもaが最も基本的な意味、そのほかが派生的な意味となっています。(10)の「手」のような身体部位を表わす語は多義語の典型例です。そして多義語は、よく使われる単語では、名詞だけでなく動詞や形容詞でも多くみられます。多義語の意味の拡張のメカニズムについては5.3以降で説明します。

実は多義語と同音異義語との境界線はあいまいなことも少なくありません。語源に関する情報を常に正しく把握できるとはかぎらないこと、また同じ語か別の語かという感覚には個人差があるためです。たとえば「誤る」と「謝る」は現代語の感覚では別語だと思われていますが、語源的には同じ語です。「誤る」から「誤りを認める」「誤りを許してもらうよう願う」という意味に転じたと考えられています。英語にも同様の例があります。soleを英和辞典で引くと、「ただひとつの, たった一人の」を意味する形容詞のsole^{1}に続いて、名詞のsole^{2}、sole^{3}が載っています。

(13) sole^{2} 名詞 ❶ a (人・動物の)足の裏.　b (靴・靴下などの)底.　以下略
〘L *solum* 足の裏〙
sole^{3} 名詞 〔魚〕シタビラメ.　〘F〈L ↑；形状の連想〉
(『研究社 新英和中辞典(第7版)』)

(13)の〘　〙には語源情報が示されていて、〘F〈L ↑；形状の連想〉〙からsole^{3}(シタビラメ)は直前の語sole^{2}(足の裏、靴底)からの派生であることがわかります。つまりこの2語は語源的には同一だということです。しかし現代語の感覚ではこの2語を同語とはとらえにくく、同音異義語として扱うのが一般的でしょう。

そのほか、日本語では漢字の書き分けの問題があります。

(14) ジテン(字典／事典／辞典)
(15) a.　イシ(意志／意思)　　b.　シュウトク(習得／修得)
(16) a.　はかる(計る／測る／量る)　　b.　かたい(固い／硬い／堅い)

(14)では「辞典」が最も一般的で、ほかの2語を含む総称として用いられることもあります。(8b)で挙げた「シリツ」と同様に、「もじてん」「ことてん」「言葉てん」などと呼び分けて区別することがあります。

(15)や(16)は意味用法の区別がむずかしく、表記の際に頭を悩ませる例です。最近は同音語情報を表示するパソコン日本語入力システムが増えて便利になりましたが、ぜひ複数の国語辞典を引いて 扱いの違いを比較してみましょう。辞書によって見出しの立て方や意味のまとめ方が異なることに注目すると、言葉への興味や関心が深まる機会となることでしょう。

5.3　似通った意味への広がり —— メタファー

多義語の意味の拡張のメカニズムの一つに、比喩による意味の拡張が挙げられます。比喩とは「ある言葉を、類似または関連した別の何かにたとえること」ですが、皆さんには国語の授業で習った詩の技法などが思い出されるかもしれません。始めに、村上春樹の小説から例を挙げてみましょう。

(17) a.「大学でスペイン語を教えています」と彼は言った。「砂漠に水を撒くような仕事です」　（村上春樹『1973年のピンボール』）

b.「電話がぷつんと切れる。回線が死ぬ。最後のメッセージが無人の波打ち際に置き去りにされる。　（村上春樹『アフターダーク』）

文学作品に限らず、身近なところにも同様の例を見つけることができます。

(18) a.　冬期限定　冬のキッスは雪のようなくちどけ...

（明治のチョコレート Meltykiss 2018年のCM）

b.　♪味の作曲家　（日本食研の企業キャッチフレーズ）

(19) a.　あんな鬼みたいなコーチの言うことなんか聞けるもんか。

b.　毎年タイトルを獲得するなんて、山田選手は神だね。

(18) (19)のaはいずれも「〜のような」「〜みたいな」といった部分がたとえであることがはっきりとわかる**直喩**(simile)です。直喩は明喩ともいいます。一方bはそういった手掛かりがありません。しかし、「味を作曲する」「選手が神である」などと文字どおりに解釈すると非現実的であることから、比喩として解釈するべきだと気づき、問題なく正しい理解に到達することができるのです。

これら b に示された例を**メタファー**(metaphor)または隠喩と呼びます。

(19)は日常会話からの例ですが、(19b)は「X は Y だ」という文型から「山田選手」を「神」にたとえた比喩であることがわかりやすいでしょう。では、その文型以外の場合はどうでしょうか。

(20) a. パンの耳／列の頭／本日の目玉商品／映画界の女王
　　 b. 地雷を踏む／落とし穴にかかる／犬(＝スパイ)

(20)は(19b)で見たような「X は Y だ」という形をとらず、「Y」つまり「何にたとえているか」だけが残った例です。ひとつひとつ分析すれば、(20a)は位置や地位、(20b)は性質や機能の類似性に基づいたメタファーだと理解できますが、繰り返し使われるうちにその比喩表現そのものがその語本来の意味となる場合があります。そのように比喩だという意識の薄れた例は**死んだ比喩**(dead metaphor)と呼ばれます。以上のことからわかるように、比喩は特別なものではなく、わたしたちが日常のあちこちで使っている言葉なのです。

また、メタファーは技術の発展などにより新しい言葉が必要になったときにも使われます。その一例がコンピューター関連の言葉です。

(21) a. マウス／フォルダ／暗号
　　 b. (ファイルを)開く[閉じる]／圧縮する／フリーズする
　　 c. ネット／チャット／掲示板

(21)の例のほとんどは、英語でも同じメタファーが使われます。このことからわかるように、メタファーにはある程度規則性があり、言語や文化を超えて同じように用いられる例も少なくありません。一方、(22b)のように直訳しても意味が通じないものもあります。

(22) a. 台風の目 (the eye of a typhoon)　針の目 (a needle's eye)
　　 b. うおのめ (a corn)　網目 (a mesh)

(23)と(24)は現在のメタファー研究に大きな影響を与えた Lakoff & Johnson(1980)からの引用です。

(23) a. あなたがわたしの時間をむだにしているのよ。(You're wasting my time.)
b. 彼女にはだいぶ時間をつぎ込んだよ。(I've invested a lot of time in her.)
c. 時間を切り詰めないとね。(You need to budget your time.)
(Lakoff & Johnson 1980、日本語訳は筆者)

(24) a. 上々の気分だよ。(I'm feeling up.)
b. 落ち込んでいるの。(I'm feeling down.)
c. 景気は上向きつつある。(Things are looking up.)
d. あれは卑劣なたくらみだった。(That was a low trick.)
(Lakoff & Johnson 1980、日本語訳は筆者)

どの例もよく耳にする表現ですね。Lakoff & Johnson(1980)は、メタファーは言葉で表現するときだけでなく、思考や行動に至るまで日常生活のあらゆるところに浸透していると指摘しました。そしてメタファーの本質は、ある事柄を別の事柄によって理解し、経験することだと述べました。つまり、わたしたちは日ごろ抽象的な事柄を、具体的な経験に基づくメタファーを通して理解しているのです。このようなしくみを**概念メタファー**(conceptual metaphor)と呼びます。たとえば、わたしたちは時間をお金と同様に貴重で限りのある資源だととらえて行動しています。だからこそ、(23a)～(23c)のように抽象的な概念である「時間」に対して、「つぎ込む」「切り詰める」といった、お金と同様の表現を使うのです。これらは彼らが「TIME IS MONEY(時は金なり)」という分類に挙げている例文です。

(24)は空間的な位置に基づく「方向づけのメタファー」からの抜粋です。(24a)と(24b)は「HAPPY IS UP; SAD IS DOWN(楽しいことは上、悲しいことは下)」の例文ですが、わたしたちは元気なときには体を起こし、悲しいときにはうつむきがちになるといった日ごろの身体的な経験に基づいたものだとわかりますね。また、(24c)は「GOOD IS UP; BAD IS DOWN(よいことは上、悪いことは下)」、(24d)は「VIRTUE IS UP; DEPRAVITY IS DOWN(善行は上、悪行は下)」に分類されていますが、これらは人間や社会にとって好ましいものを上(UP)ととらえたものです。

以上のことから、わたしたちは経験に基づき、メタファーを通して抽象的な概念を理解しているのだということがわかります。

5.4　隣り合った意味への広がり —— メトニミー

5.3 で取り上げたメタファーは類似性、つまり「似ているもの」にたとえる意味の拡張の例でした。今度は近接性、つまり「近いもの」にたとえる場合について考えてみましょう。まず次の例を見てください。

(25) a.　「ご飯にするからテーブルを片付けて。」
　　 b.　家族で鍋をつつく。

(25a)は「テーブルを部屋の隅などに移動する」という解釈もできますが、ここでは「(料理を並べられるように)テーブル(の上)を片付ける」と理解するのが一般的でしょう。また(25b)でつついているのは調理器具の鍋そのものではなく、鍋の中にある具材です。どちらの例も「テーブル」で「その上」を、「鍋」で「その中身」を、と空間的に近いものを指しています。このように、ある語が表わす意味と近い関係にあるものを指し示すタイプの意味拡張を**メトニミー**(metonymy)または換喩と呼びます。メタファーと同様、メトニミーにも身体部位を用いた例がたくさんみられます。

(26) a.　手を貸して。／ Give me your hand, please.
　　 b.　みんなの目が彼に注がれていた。／ All eyes were on him.
　　 c.　帰省したついでに母校に顔を出す。
　　 d.　遊びに行きたいが、足がない。

ここで用いられている「手」や「目」は文字どおりの身体部位そのものを指しているわけではありません。(26a)は主に手を使って働く人を、(26b)の「目」は人が「見る」行為を指しています。(26c)で母校に行くのはもちろん「顔」

だけではなくその人です。(26d)の「足」は人が足を使う交通手段を指しています。これらの例では体の部分を表わす言葉を使うことで、その部分がフォーカスされて、より効果的に伝わる表現になっています。そして身体部位を用いた表現は、(26)の例のほかにも、「働き手」「(委員の)なり手」のように慣用的な表現として使われることが多いのです。身体部位を中心に、慣用表現やイディオムになったものもあります。これについては5.5でみていくことにします。

ちなみに、(26a)や(26b)のような発想は英語にもみられます。しかし(26c)と(26d)は英語に直訳できません。つまり、メタファーと同様にメトニミーも常に異なる言語との間で同じように使えるわけではないのです。

身体部位以外の表現もみてみましょう。次の(27a)(27b)は日本語と英語と両方にみられますが、(27c)と(27d)は英語特有の発想であって、日本語では一般的な表現ではありません。

(27) a. 赤シャツはホホホホと笑った。／ Red Shirt laughed.
(夏目漱石『坊っちゃん』)
b. ホワイトハウスは沈黙を貫いた。／ The White House kept silence.
c. The tuba has a cold today. (チューバ奏者は今日かぜをひいている。)
d. The hamburger requested another bottle. (ハンバーガーの人がボトルを追加注文した。)

(27a)は衣服、(27b)は建物や地名、(27c)は道具、そして(27d)は注文した品で、人あるいは特定の団体や機関を表わす用法です。「来週、横浜が遊びに来る」のように親族を地名で呼ぶ慣習も(27b)の仲間です。

以上が空間的な近接関係を表わす例でした。では、そのほかのパターンをみてみましょう。

(28) a. 太宰を読む。
b. シューベルトを聴くといやされる。
c. 「プラダを着た悪魔」(米国の小説 The Devil Wears Prada の邦題)

(28a)と(28b)はそれぞれ作者とその作品との、(28c)はメーカーとその製品との近接関係を示しています。次は一連の行為の一部を示すことで、その先を推論させる時間的な近接関係の例です。

(29) a. 筆を執る／筆を置く
b. 一杯やる／お茶(を)する

(29a)の「筆を執る」は筆を取って手紙を書くことを推論させますね。(29b)は単になにかを飲むのではなく、飲みながら会話を楽しむことを意味しています。しかし、どれも慣用的な表現になっているので、あらためて推論するまでもなく理解できるでしょう。

ここまでの例をみてきて、皆さんは「ふだん使っている言葉はメトニミーだらけではないか」「メトニミーには一種のパターンがあるのではないか」といった疑問をもったかもしれませんが、これらはいずれも正しいといえます。(25)～(29)でみた例を文字どおりに解釈すると違和感がありますが、わたしたちはこのような言葉の使い方にすっかり慣れ親しんでいるので、むしろそれがなければコミュニケーションが不自由だと感じるかもしれません。

さて、比喩を使った表現には、このほか**シネクドキー**(synecdoche)または提喩と呼ばれるものがあります。これはより一般的で広い意味をもつ言葉でより特殊な意味を表わしたり、その逆に、より特殊な意味をもつ言葉でより一般的な意味を表わしたりする表現方法です。典型例をみてみましょう。

(30) a. 花見をする。
b. 「明日天気になあれ」
c. ご飯の支度をする。

(30a)の「花見」の「花」は多くの場合「桜」という特定の種類を、(30b)の「天気」は一般的な「空模様」という意味ではなく「晴天、晴れ」という特定の状態を意味します。これに対し(30c)では、一般に米を炊いたものを指す「ご飯」を、食事一般の意味に拡張しています。

5.5　単語より長い意味の単位 ― コロケーションとイディオム

5.3 と 5.4 では、言葉は使われ方によってさまざまな比喩的解釈ができる例をみてきました。今度は、ほかの言葉との組合わせによって解釈が変わる例をみていきましょう。

以下の(31)～(34)を文字どおりに解釈した場合に意味が通じるかどうかを考えながら読んでみてください。

(31)　a.　手を洗う／手をふく
　　　b.　(棚の上の)本を取る／ほこりを取る
(32)　a.　手をつなぐ／手をたたく
　　　b.　メモを取る／満点を取る
(33)　a.　手を染める／手を切る
　　　b.　二足のわらじを履く
(34)　a.　ほぞをかむ
　　　b.　ごまをする／ curry favor

(31)は文法的な条件が満たされ、互いに意味的な矛盾がなければ自由に作り出せる**自由結合**(free combination)です。例文のパーツを入れ替えて「車を洗う」「お金を取る」「ほこりを払う」ともいえます。ここでは各パーツの意味がそのまま生きているので、それを組み合わせることで容易に理解することができるのです。

(32)でも名詞の意味が文字どおりなので、意味を理解するのはむずかしくないと思われますが、慣用的に結びつく動詞との組合わせを知らなければ使いこなすことができません。「手を取る」「手を結ぶ」「メモを書く」では意味が微妙に違ってきてしまいます。このような 2 語以上の単語の慣習的なつながり方を**連語**あるいは**コロケーション**(collocation)と呼びます。コロケーションは近年のコーパス言語学の発展に伴って研究が進み、第二言語習得の分野でも注目を集めています。

(33)は身体部位の「手」や履物の「わらじ」とは直接の関係はないので、パーツの文字どおりの意味を組み合わせても理解することができません。このような句を**イディオム**または**慣用句**と呼びます。(33)は句全体の意味が「かかわる」「縁を切る」「二種類の仕事を掛け持ちする」といった比喩的な意味をもっているので、比喩的慣用句(Cowie 1998)と呼ばれることがあります。

(34)も実質は(33)と同じメカニズムですが、そのたとえをスムーズに理解するのがむずかしい例です。(34a)の「ほぞをかむ」は中国の故事に由来する言葉で、「ほぞ」とは「へそ」のことです。へそをかもうとしても届かない、それでもかみたいくらいの後悔の念を表わした言葉です。「ごまをする」はすり鉢でごまをすると鉢のあちこちにごまがくっつくことから、他者にべたべたとすり寄る様子を表わすようになりました。そして、同じ意味を表わす英語のイディオム curry favor は、「栗毛色の馬に毛すきぐしをかける」という意味の句に由来する表現で、食べ物の「カレー」と同綴異義語でフランス語語源の動詞 curry が使われています。これらは (33) と区別して純粋イディオム (pure idiom)と呼ばれることがあります。

このように観察してみると、単語の意味は使われ方や文脈によってさまざまに解釈されることがわかってきます。そして、句や文の意味は、必ずしもそれを構成するパーツとなっている単語の意味の和とはならないケースもあることに気づくでしょう。

問題

1. 以下の①～⑤のペアについて、同音異義語と多義語のどちらなのかを考えて、該当するほうに○をつけましょう。判断に迷う場合は△をつけておき、語源情報が詳しい国語辞典を使って調べてみましょう。

	同音異義語	多義語
①「取る」「撮る」		
②「書く」「掻く」		
③「凧」「蛸」		
④「上げる」「揚げる」		
⑤「(軽)トラック」「トラック(競技)」		

2. (1) 国語辞典で身体部位の名称を引いて、メタファーとメトニミーを探してみましょう。

メタファー:

メトニミー:

(2) 英和辞典で(1)と同じ身体部位の名称を引いて、メタファーとメトニミーが日本語とどのように違っているか比較してみましょう。

メタファー:

メトニミー:

[日本語と英語での違い]

3. a、b、c について、(あ)自由結合、(い)コロケーション、(う)イディオムに分類してみましょう。

		分類
① ひく	a かぜをひく	
	b 定規で線を引く	
	c てぐすねをひく	
② のむ	a かたずをのむ	
	b ジュースを飲む	
	c 条件をのむ	
③ つかむ	a 吊革をつかむ	
	b こつをつかむ	
	c おぼれる者はわらをもつかむ	
④ 鼻	a 鼻をさわる	
	b 木で鼻をくくる	
	c 鼻をかむ	
⑤ 花	a 花が咲く	
	b 花を買う	
	c 花よりだんご	

読書案内

瀬戸賢一(2017)『よくわかるメタファー ── 表現技法のしくみ』(ちくま学芸文庫) 筑摩書房.

谷口一美(2003)『認知意味論の新展開 ── メタファーとメトニミー』(英語学モノグラフシリーズ) 研究社.

谷口一美(2006)『学びのエクササイズ 認知言語学』ひつじ書房.

松本曜(編) (2003)『認知意味論』(シリーズ認知言語学入門 第 3 巻) 大修館書店.

籾山洋介(2009)『日本語表現で学ぶ 入門からの認知言語学』研究社.

Cowie, A. P.(編), 南出康世・石川慎一郎(監訳) (2009)『慣用連語とコロケーション ── コーパス・辞書・言語教育への応用』くろしお出版.

引用文献

夏目漱石(1987)「坊ちゃん」『夏目漱石全集 2』(ちくま文庫) 筑摩書房.

村上春樹(1980)『1973 年のピンボール』講談社.

村上春樹(2004)『アフターダーク』講談社.

Cowie, A. P. (Ed.) (1998) *Phraseology: Theory, Analysis, and Applications*. Oxford: Oxford University Press.

Lakoff, George & Johnson, Mark (1980) *Metaphors We Live By*. London: University of Chicago Press. (レイコフ, G, ジョンソン, M (著), 渡部昇一・楠瀬淳三・下谷和幸(訳) (1986)『レトリックと人生』大修館書店.)

日本漢字能力検定協会「一番多い同音異義語は？」 https://www.kanken.or.jp/kanken/trivia/category06/16060106.html (2020 年 8 月 20 日確認)

第６章　単語間の意味関係（意味論２）

この章で学ぶキーワード

上位語、下位語、同位語、同義語、類義語、対義語、レトロニム、プロトタイプ

6.1　意味関係からみた言葉の世界 —— 上位語と下位語

6.1.1　言葉の意味の広さは同じか？

言葉の意味の関係にはさまざまなものがあります。まず、意味の広さという観点から以下の下線部を比べてみましょう。

（1） a.　スーパーで果物を買った。
　　 b.　スーパーでリンゴを買った。
　　 c.　スーパーでバナナを買った。
　　 d.　スーパーで紅玉を買った。

（1b）と（1c）の文は、（1a）の文で言い換えることができます。これは「果物」という語の意味の範囲が広く、「リンゴ」や「バナナ」を包み込んでいるためです。また（1d）は（1b）のように言い換えることができます。紅玉はリンゴの品種の一つだからです。これを図にすると以下のようになります。

図１　果物の意味関係

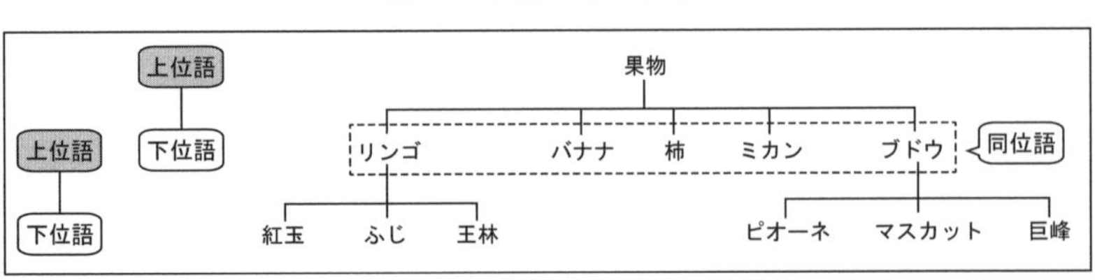

「リンゴ」は果物の一種ですから、「果物」という語のほうが「リンゴ」よりも意味が広いことになります。このようにある語の意味も含んで、さらに広い範囲の物や事柄を指せる語のことを**上位語**(hypernym)と呼びます。一方、「リンゴ」は「果物」の中の一種類の名称にすぎません。このようにある語が表わす意味の範囲に含まれる、より意味の狭い語のことを**下位語**(hyponym)と呼びます。ですから、「果物」は「リンゴ」の上位語で、「リンゴ」は「果物」の下位語です。同様に、「紅玉」は「リンゴ」の品種の一つですから、「リンゴ」のほうが「紅玉」よりも意味が広いことになります。つまり「リンゴ」は「紅玉」の上位語、「紅玉」は「リンゴ」の下位語となるのです。

また、上位語、下位語として結びついた関係をそのまま上下にスライドさせることで、図でもう一段離れた位置にある言葉どうしにも意味の上下関係を認めることができます。たとえば「紅玉」は「リンゴ」の下位語、「リンゴ」は「果物」の下位語という関係をもとに、「紅玉」は「果物」の(一歩離れた)下位語だとみなすことができるのです。

今度は図を横に見ていきましょう。点線で囲んだ「リンゴ」「バナナ」「柿」「ミカン」「ブドウ」はいずれも同じく「果物」を上位語にもつので、それぞれが**同位語**(co-hyponym)となっています。一段下の「紅玉」「ふじ」「王林」、「ピオーネ」「マスカット」「巨峰」も同様です。

言葉の意味の上下関係は、以下のA、Bに言葉をあてはめてみることで確認できます。

(2)　すべてのAがBであるならば、AはBの下位語である。ただし、すべてのBが必ずしもAとはかぎらない。

Aに「リンゴ」、Bに「果物」をあてはめてみましょう。

(3)　すべてのリンゴは果物であるので、リンゴは果物の下位語である。ただし、すべての果物がリンゴではない(ミカンやバナナもある)。

これにより、「リンゴ」は「果物」の下位語であることを確認できます。

6.1.2　意味の上下関係は名詞だけなのか

ここまで名詞の例をみてきましたが、意味の上下関係は名詞以外の品詞にも存在します。以下の例をみてみましょう。

(4) a.「休む」
　b.「欠席する」「欠勤する」「休養する」「休憩する」「休職する」「休業する」

(5) a.「狭い」
　b.「狭苦しい」「手狭だ」「こぢんまりとした」「せせこましい」

第4章で学んだ語種(ことばの出自による分類)に注目すると、(4a)で挙げた上位語「休む」は、総合的で守備範囲が広いという性格をもつ和語です。一方、(4b)に示した下位語「欠席する」「休憩する」などは、「欠席」「休憩」といった漢語の部分が「何を」「どのように」休むのかといった場面を細かに限定する性格をもっています。これは「休む」の下位語として「リフレッシュする」「サボる」のような、外来語を含んだ動詞を用いた場合も同様です。動詞の場合には、このように意味の上下関係と語種の違いとが関連していることがあります。

(5a)「狭い」は形容詞ですが、下位語には「手狭だ」といった形容動詞や「こぢんまりとした」のような句が含まれることから、異なった品詞の単語や、語と句との間にも意味の上下関係が認められることがわかります。

6.1.3　意味の上下関係にはどんな種類があるのか

ここまでみてきた意味の上下関係は、分類学的な関係で、(6)のように下位語が上位語に対して「その一種である」と表現できるものです。

(6) a. リンゴは果物の一種である。
　b. 紅玉はリンゴの一種である。

では、「家具」の下位語を挙げてみてください。「椅子」「机」「テーブル」「棚」「ベッド」などが挙げられることでしょう。このうち「椅子」に相当するものとして思いつく言葉をすべて挙げてみましょう。

（7） a.　ダイニングの椅子、勉強部屋の椅子、リビングのソファー
　　　b.　公園のベンチ、スポーツ観戦用の折りたたみ椅子、歯科医院の患者用の椅子
　　　c.　自転車のサドル、車のシート、飛行機の座席

(7a)から(7c)まで多岐にわたる「椅子」が挙げられました。ところで、これらはすべて「家具」の下位語といえるでしょうか。「家具」は文字どおり「家の中に備えられているもの」ですから、その下位語に相当するのは(7a)だけです。(7b)や(7c)も人がすわるためにあることは確かですが、家具とはみなされません。これらは「～の一種として」ではなく「～として用いられる」関係なので、機能的な上下関係と考えることができます。

6.1.4　意味の上下関係はどんなところで役立つか

このような意味の上下関係を、わたしたちは意外にも日常のコミュニケーション場面で活用しています。たとえば買物のあとで「紅玉」という名前を忘れてしまったとしても、(1b)のように「リンゴ」と言ったり、単に「果物」と置き換えたりすることができます。

また、ある語の意味が正確にはわからなくても、その語の上位語がわかればことが足りるケースもあります。たとえば「ピオーネ」の色や特徴を知らなくても、「ブドウの一種」ということがわかれば意味はつながるでしょう。

さらに、説明で用いる言語にはない事物や概念を説明するときにも、上位語を使っておおよその意味を伝え、それに修飾語をつけることでより詳しく表現することができます。Riemer (2010) は、英語には相当する語がないイスラム教徒の衣類を例に、以下のように説明しています。

（8） a.　khimar（ヒマール、キマール）…long veil（長いベール）
　　　b.　chador（チャードル）…full-body cloak（全身をおおうマント）

（下線を引いた語が上位語、下線は筆者による）

もっとも、図１のような関係を頭に思い浮かべながらコミュニケーションをとることはまれで、わたしたちは無意識に言葉の意味関係についての知識を使っ

ているといっても過言ではありません。

ほかにはどのような意味関係があるのか、このあとの節で学んでいきましょう。

6.2 「同じ意味」と「似ている意味」—— 同義語と類義語

6.2.1 「同じ意味」とはどこまで同じか

2つの語の意味が同じ場合、それらを**同義語**(synonym)と呼びます。たとえば以下の下線部を[ ]内の語と置き換えても文全体の意味は変わりません。

(9) 努力家であるところが彼の長所[取柄]だ。
(10) She closed [shut] the door behind her.(彼女はドアを後ろ手に閉めた)

ただし、厳密な意味での同義語が存在することはめったにないといわれています。事実、これらのペアが常に同じ意味を表わすとはかぎりません。

(11) 新製品の長所[×取柄]をアピールする。
(12) 健康だけが取柄[×長所]の兄が、かぜをひいた。

このように、文脈によっては片方の言葉は使えないことがあります。次のペアもそれぞれ指示対象は同一ですが、どんな文脈だと意味がどう変わるのかを考えてみましょう。

(13) a. お昼/昼食　　買う/購入する
　　 b. 犬/わんわん　　疲れた/こわい

(13a)にみえるフォーマルかインフォーマルかといった改まり度の違いはニュアンスの違いにつながります。また(13b)のように年齢差や地域差などによって同義語を自由には置き換えられないことがあります。(「こわい」を「疲れた」の意味で使う地方があります。)そのように考えると、本当に「意味が同じ」言葉はないのかもしれない、と思ってしまう人もいるかもしれませんね。

6.2.2 「似ている意味」はどう似ているのか

2つの語の意味が似ている場合にそれらを**類義語**(synonym)と呼びます。意味が「似ている」ということは、意味的に互いに重なり合った部分もあれば、ずれがみられる部分もあるはずです。次の例を見てみましょう。

(14) a. ほえる／いななく／さえずる
　　 b. 腐る／発酵する
　　 c. にぎやかだ／やかましい
　　 d. トイレ／お手洗い／化粧室

(14a)はどれも動物が鳴くことを意味しますが、主語になる動物が違いますね。(14b)の「腐る」と「発酵する」は同一の現象ですが、人間にとって有益か否かで使い分ける例です。(14c)の「にぎやか」と「やかましい」では、同じ音量かもしれませんが、片方はプラス、もう片方はマイナス評価となる点が大きく異なります。(14d)のうち「トイレ」以外は、その意味を遠まわしに伝える言葉です。

次に、「残る」と「余る」の意味を比較して、その違いを説明してみましょう。(15)はどちらの言葉もあてはまる文で、ニュアンスの違いは多少あってもそれぞれ同一の事実を表わしています。一方、(16)はどちらか片方しかあてはまらない例で、aとbとを比較していくと意味の違いが浮かび上がってきます。

(15) a. みんなに飴《あめ》を3個ずつ配ると、1個〜　[○残る・○余る]
　　 b. 注文しすぎて料理が〜　[○残る・○余る]
　　 c. 老後の資金が〜　[○残る・○余る]
(16) a. 家に〜／疑問が〜　[○残る・×余る]
　　 b. 人手が〜／十指に〜　[×残る・○余る]

(16a)での「残る」は人や物、あるいはある状態が、時間が経ってもなくならずに存在していることを表わすのに対して、(16b)での「余る」は必要な量や最大限を超えていることを表わします。つまり、「残る」は変わらずに存在している点に、「余る」は不要となってはみ出している点に注目するため、(15)

のように両方あてはまる文でも違いが感じられるのです。

6.3　反対の意味関係はいくつあるのか —— 対義語

今度は、反対の意味について考えてみましょう。なんらかの基準によって意味が対になる関係を**対義語**(antonym)と呼びます。まず、(17a)から(17e)のそれぞれの対義語を考えてみましょう。

(17) a.　当たり
　　b.　長い
　　c.　開ける
　　d.　教える
　　e.　親

いずれも皆さんには簡単な問題だったことでしょう。

(17a)「当たり」の対義語は「はずれ」です。当たりつきのアイスキャンディーで、棒に何も書かれていなければ「はずれ」の意味だとわかりますね。ほかに、このグループには以下のような例があります。

(18) a.　生／死
　　b.　オス／メス
　　c.　奇数／偶数

このように、必ず2つの可能性のどちらかが該当し、片方が肯定されるともう一方は否定されるという関係を相補的な対立関係と呼びます。これには「中間」は存在しません。

(17b)「長い」の対義語は「短い」です。これは程度性の違いによる対義関係です。似たような例を挙げてみましょう。

(19) a.　大きい／小さい
　　b.　良い／悪い

　　c.　きれい／汚い

(19a)の「大きい」「小さい」の間には文字どおり「中くらい」があることからわかるように、ペアの 2 語には「中間」が存在します。また、あくまで相対的な程度を示しているので、Aさんにとっての「良い成績」はBさんにとっての「悪い成績」よりも点数が低い可能性があります。

(17c) は「開ける」の逆方向の動きを表わす「閉じる」がその対義語です。このグループにはほかに以下の例が挙げられます。

(20)　a.　入る／出る
　　　b.　結ぶ／ほどく
　　　c.　開店／閉店

(17d)「教える」の対義語は「教わる」です。これは同一の事柄を別の視点からみた場合のペアです。そして、このグループにはほかに以下の例が挙げられます。

(21)　a.　売る／買う
　　　b.　貸す／借りる
　　　c.　上り坂／下り坂

(17e)「親」の対義語は「子」です。ちなみに、「父」と「子」、あるいは「母」と「子」との関係とはどこが違うのでしょうか。それは、このペアが互いに相手の語の存在を前提にした関係にあるという点です。「(子にとっての)親／(親にとっての)子」ととらえてみてください。このグループにはほかに以下の例があります。

(22)　a.　夫／妻
　　　b.　医者／患者
　　　c.　祖先／子孫

対義語は必ずしも 1 語だけとはかぎりません。「背が高い」というときの「高い」の対義語は「低い」ですが、「値段が高い」の場合は「安い」となります。また「ごみを捨てる」という場面での「捨てる」の対義語は「拾う」ですが、片付けをしている場面で物を「捨てる」のであれば対義語は「使う」「着る」「保管する」などが適当かもしれません。このように文脈によって対義関係が成り立つ語が変わることもあるのです。

以上が対義関係の代表例ですが、このほかにも似たような関係にある言葉のペアや熟語があります。

(23) a. 山／川　　縦／横
　　 b. 春夏秋冬　松竹梅

(23a)のペアは一見対義語どうしのように見えますが、意味が対立しているとはいえません。これらは対義関係というよりも意味が隣り合った関係にあるとみなすのが適当でしょう。(23b)の「春夏秋冬」「松竹梅」のように 3 つ以上の要素が組み合わさった熟語もこのグループに分類できます。

6.4 言葉を再び命名するとき —— レトロニム

さまざまな言葉の意味関係のなかには、時代の変化の影響をうけるものがあります。「携帯電話」の登場によって、各家庭にあった「電話」は「固定電話」と呼ばれるようになりました。「デジタルカメラ」に対する「フィルムカメラ」も同様です。

このように、過去から存在している事物に対して新しい事物が登場したとき、新しい事物と区別するために旧来の事物に対してあとからさかのぼって考案された語句のことを**レトロニム**(retronym)と呼びます。この用語は retro-(さかのぼって、後方へ)と -onym(語、名前)による造語で、1980 年に New York Times Magazine 掲載のコラムで紹介されて広まりました[1]。日本語では

[1] retronym は当時のアメリカ公共ラジオ局長 Frank Mankiewicz 氏によって考案された言葉で、これを William Safire 氏がコラムで紹介しました。

1976年に言語学者の鈴木孝夫氏が「書きことば」に対する「話しことば」、電話やテレビに対する「対面ことば」の例を挙げて、この現象を「再命名」と呼んで説明しています。

レトロニムの多くは技術革新により誕生した商品や電化製品、あるいは時代の変化によって生まれた概念です。もう少し例をみてみましょう。

(24) a.　白黒テレビ　　b.　カラーテレビ
(25) a.　ダイヤル式電話　　b.　プッシュ式電話
(26) a.　足踏みミシン　　b.　電動ミシン

(24)から(26)はa、すなわち古いほうのものが既に存在しないか、きわめてまれな存在となっていて、もはやそれを特定する必要がなくなりつつあるケースです。現在「テレビ」「電話」「ミシン」といえば、特になにも断らなくてもbの新しいほうを指すので、取り立ててbのように言う必要もないのです。

(27) a.　アコースティックギター　　b.　エレキギター
(28) a.　アナログ時計　　b.　デジタル時計
(29) a.　固形石けん　　b.　液体石けん
(30) a.　実店舗　　b.　オンラインショップ
(31) a.　消せないボールペン　　b.　消せるボールペン

(27)から(31)は、現在a、bそれぞれが別々のものとして存在している例です。

そのほとんどが、もとの語形(「ギター」「時計」など)の前に新しいものとの違いを示す部分を組み合わせてできています。必然的に語形が長くなるため、「携帯(電話)」「エレキ(ギター)」と略されることもあります(第4章4.3参照)。また、(30)のようにaとbが異なる語種でできている場合もあれば、(31)のように語彙化されないものや、商標がそれに代わる場合があります。

aとbはそれぞれ同位語どうしであり、もとの語がそれらの上位語にあたります。

図 2　レトロニムと意味の上下関係

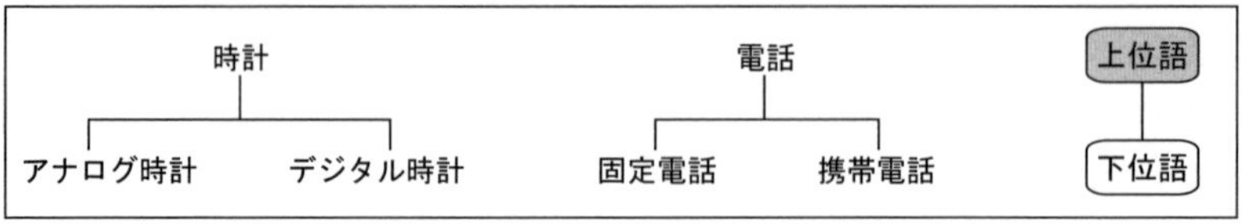

同様の例は英語にもあります。

(32) a.　snail mail　　　b.　e-mail
(33) a.　postal address　　　b.　e-mail address

(32a) の snail はカタツムリの意味で、snail mail とは普通の郵便のことです。e-mail とのスピードの差をとらえたユニークな表現ですよね。(33) はメールアドレスの登場によって、単に address としただけでは判別がつかなくなった例です。

6.5　最も典型的なメンバーとは —— カテゴリーとプロトタイプ

「鳥」と聞いて皆さんが思い浮かべるのはどんな鳥ですか。5 種類ほど挙げて、どんな特徴があるか考えてみてください。おそらくまっさきに出てくるのは以下のような鳥ではないでしょうか。

(34) スズメ　　ハト　　ツバメ　　カラス　　インコ

これらの特徴としては「羽がある」「空を飛ぶ」「くちばしがある」などが挙げられたことでしょう。では、そのほかの仲間をもう少し追加してみましょう。

(35) アヒル　タカ　ハヤブサ　ニワトリ　ペリカン　ダチョウ　ペンギン

以上はすべて「鳥」という**カテゴリー** (category) に分類されるメンバーで、6.1 でみた意味関係でいえば、「鳥」という上位語に対する下位語に相当します。しかし、「鳥らしさ」という点ではすべてが対等とはいえません。

(34) に挙げた「スズメ」「ハト」「ツバメ」には、(35) の「ダチョウ」や「ペンギン」と比べると、はるかに「鳥らしさ」が感じられます。つまり、これらは「鳥」というカテゴリーの代表例ともいえるでしょう。このようにあるカテゴリーにおいて中心的、典型的な例のことを**プロトタイプ** (prototype) と呼びます。

一方、典型的な「鳥」の例として「ダチョウ」や「ペンギン」を挙げる人は少ないでしょう。これらは羽やくちばしはあるものの、「空を飛ぶ」という特徴が欠けているため、あまり「鳥らしさ」が感じられず、カテゴリーの周縁的な位置にある例だと考えられます。

カテゴリーの代表例にあたるものは「よい例」(good example)、最も周縁的な位置にある例は「悪い例」(bad example) と呼ばれることがあります。心理学者のバーサロウ (Lawrence W. Barsalow) が米国の大学生に対して行なった調査結果でも、25 種中最下位が「ダチョウ」「ペンギン」(9 段階評価で 2.4) であり、その少し上に「ニワトリ」「ペリカン」(3.7) が位置しています。ちなみにこの調査で最も典型的とされたのは「コマツグミ[2]」(8.4) で、これは別の学者が行なった調査の結果とも合致しています。ですが、もし日本の大学生に対して同じ調査を行なったら、上位にくる鳥は少なくとも「コマツグミ」ではないはずです。このように、同じカテゴリーでも言語や文化によってプロトタイプは多少異なることがあります。

プロトタイプには、その名称が一般的、基本的なものかどうかも関連しています。「イワツバメ」や「キジバト」が「ツバメ」や「ハト」を差し置いてプロトタイプになることは考えにくいというわけです。これは子どもの言語習得において、プロトタイプ的なものが先に習得されやすいこととも関わりがあります。

[2] 英名 (American) robin。全長 25 cm くらいの渡り鳥で、北米では市街地でもよく見かける鳥。美しい青色の卵が特徴的。

問題

1.　(1)以下の a~g のペア(またはグループ)の言葉は、どのような点が違うか分析してみてください。
(2)それぞれについて、自分でも似たような例を探して追加してみましょう。

a.　走る／歩く
b.　磨く／研ぐ
c.　食べる／飲む
d.　冷たい／寒い
e.　そば／スパゲッティ／ビーフン
f.　雲／霧
g.　つかむ／にぎる

	(1) 違い	(2) 類例
a		
b		
c		
d		
e		
f		
g		

2.　この章で扱った意味関係の(1)から(5)の分類について、下の語群から例を2組ずつ選んでみましょう。また、自分でも例を探して追加してみてください。

[語群]

① 太い／細い　② 着る／脱ぐ　③ 先生／生徒　④ 雄／雌
⑤ 覚える／忘れる　⑥ 授ける／授かる　⑦ 師匠／弟子
⑧ 出席／欠席　⑨ あげる／もらう　⑩ やさしい／むずかしい

	語群	類例
(1) 相補的な関係		
(2) 程度性の違いによる関係		
(3) 逆方向の動きを表わす関係		
(4) 視点の相違による関係		
(5) 互いに相手の存在を前提とした関係		

3.　身のまわりからレトロニムの例を探してみましょう。また、辞書やインターネットなどで、そのレトロニムがいつごろ誕生したのかも調べてみてください。

読書案内

今井むつみ (2010)『ことばと思考』(岩波新書) 岩波書店.

北原保雄 (監修), 斎藤倫明 (編) (2002)『朝倉日本語講座〈4〉語彙・意味』朝倉書店.

國廣哲彌・柴田武・長嶋善郎・山田進・浅野百合子 (1976～1982)『ことばの意味 1～3』(平凡社選書) 平凡社.

クルーズ, アラン (著), 片岡宏仁 (訳) (2012)『言語における意味 ── 意味論と語用論』東京電機大学出版局.

谷口一美 (2006)『学びのエクササイズ 認知言語学』ひつじ書房.

松本曜 (編) (2003)『認知意味論』(シリーズ認知言語学入門 第 3 巻) 大修館書店.

Murphy, M. Lynne (2010) *Lexical Meaning*. Cambridge: Cambridge University Press.

引用文献

鈴木孝夫 (編) (1976)『日本語の語彙と表現』(日本語講座 第 4 巻) 大修館書店.

Barsalou, Lawrence W. (1985) "Ideals, central tendency, and frequency of instantiation as determinants of graded structure in categories." *Journal of experimental psychology: learning, memory, and cognition*, 11 (4), 629.

Riemer, Nick (2010) *Introducing Semantics*. Cambridge: Cambridge University Press.

コラム 3 ノンバーバルコミュニケーション

コミュニケーションの最も主要な手段は、言うまでもなく「言葉」です。とはいえ、日常のコミュニケーションでは、純粋に言葉だけをやりとりしているわけではありません。たとえば、友だちとの会話で、あなたが食事に誘う場面をイメージしてみましょう。

(1) a. あなた:「近くにいいレストランがあるんだけど、明日いっしょにどう?」
b. 友だち:「いいね」(☆)

それでは、今度は、☆の部分に以下の a〜c を思い浮かべながら読んでみてください。

(2) a. 瞬時に、明るい声で、満面の笑みで、手をたたいて
b. 短いポーズのあとにゆっくりと、ほほえんで、うなずきながら
c. しばらく間をおいてボソボソと、あまり表情を変えずに遠くを見て

友だちの反応に対してあなたがもつ感情は、(2a)〜(2c)それぞれで違ってきますよね。つまり、言葉以外の非言語的(ノンバーバル)な情報がコミュニケーションに大きく影響するということです。それらはどんな情報なのでしょうか。次ページの図 1 をもとにみていきましょう。

非言語的な情報の 1 つ目は、**パラ言語**または**パラランゲージ**(paralanguage)と呼ばれるコミュニケーション行動です(パラ言語については、コラム 2 参照)。声のトーンや話す速さ、会話の際の間のとり方など言語の周辺的な側面を指すことから、周辺言語と呼ぶこともあります。また、音声は発しませんが、沈黙もこの一種です。この沈黙は必ずしも受身的な姿勢とはかぎらず、たとえば相

図 1　ノンバーバルコミュニケーションの分類

パラ言語	声のトーン・大きさ・速さ・ リズム・応答タイミング・沈黙
身体動作	視線・顔の表情・うなずき・ ジェスチャー・姿勢・身体接触
対人距離・ 空間行動	相手との距離・すわる位置
その他	服装・化粧・アクセサリー インテリア・照明

（大坊郁夫（1998）p. 17 を参考に作成）

手への反発を表わすような能動的な姿勢ともなりえます。そのためにわたしたちは電子コミュニケーションでの相手の返信タイミングが気になるのかもしれません。ちなみに、自分がメッセージを送る際に、声のトーンを伝えるための感嘆符（！）や絵文字を織り交ぜたりするのも、パラ言語の一種です。

2 つ目は視線や顔の表情、ジェスチャーに代表される、身体動作によるコミュニケーション行動です。「目は口ほどに物を言う」というように、視線は相手への感情を示すだけでなく、相手に反応を求めたり、会話での発言権を渡したりといった役割も担います。また会話をしている時の姿勢も、どのくらい緊張しているかや、その話題にどのくらい関心があるのかを表わす情報となるのです。そのほか、身体接触によって共感や親密さを伝えることがあります。

3 つ目の情報として、相手との身体的な対人距離や、座席の位置、なわばりといった空間行動が挙げられます。皆さんが会話するとき、相手との距離をどの程度とるのが最も快適ですか。きっと相手との関係や人数、話題などによっても変わってきますよね。米国の文化人類学者ホール（Edward T. Hall）は会話場面の観察をもとに、密接距離（intimate space: 0〜45 cm）、個体距離（personal space: 45〜120 cm）、社会距離（social space: 120〜365 cm）、公共距離（public space: 365 cm 以上）の 4 段階に分類しています。

このほかに、服装や化粧、アクセサリーなどの人工物の使用や、インテリアや照明といった物理的環境も研究対象とされることがあります。

以上の情報のうち、ジェスチャーは言葉が通じない場面で威力を発揮するのですが、そこには文化差があることも少なくありません。たとえば日本人は、相手の話を聞いていることを伝えて会話を促進するのに、頻繁にあいづちを打ったりうなずいたりします。あいづちやうなずきが相手への明示的な同意を意味する欧米人には、ばかにしているかのようにとらえられたり、すべてを承諾したと誤解されたりする可能性があるのです。ですから、英語でコミュニケーションをとる際に日ごろのあいづちをそのまま英語に置き換えて発すると、相手に違和感をもたれるおそれがあります。

また、ジェスチャーのなかには**エンブレム**(emblem)と呼ばれる、言葉の代わりに用いることのできるサインのようなものがあります。

図2　輪のジェスチャー

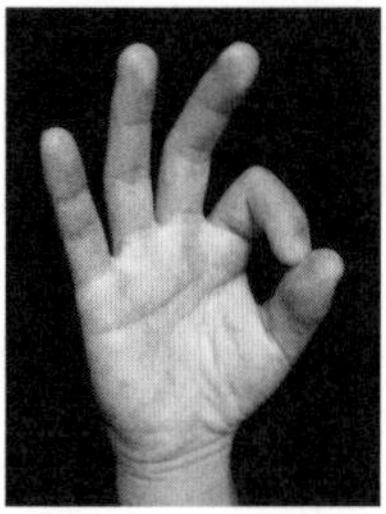

図3　小指を立てるジェスチャー

英国の動物学者モリス(Desmond Morris)がヨーロッパの25か国、40地点で実施した調査によると、図2は広い範囲で「OK」を表わしますが、ギリシャやトルコなどの地中海周辺では単なる「丸」を、またフランスやベルギーでは「ゼロ」(価値がないもの)を表わします。さらに中東や南米では性的侮辱を意味することがあるので注意が必要です。日本ではこれが「お金」を表わすことがありますが、これは海外では通じません。たとえば米国で「お金」を表わすには、親指、人差し指、中指をこすり合わせる動き、つまりお金を数えるしぐさをするのです。

図3の小指を立てるジェスチャーも、日本では「恋人」「彼女」、インドやバ

ングラデシュでは「トイレに行きたい」、さらには中国では(親指が優位を示すのに対して)「つまらないもの」を表わすなど多義的です。

さらに、てのひらを下にして指先を動かすアジアの手招きは欧米の「あっちへ行け」にあたるなど、全く正反対の意味を表わす場合もあるという点で、ノンバーバルコミュニケーションには文化差があることを心得ておく必要があります。

読書案内

石井敏・久米昭元・長谷川典子・桜木俊行・石黒武人(2013)『はじめて学ぶ異文化コミュニケーション ── 多文化共生と平和構築に向けて』(有斐閣選書)有斐閣.

辻大介・是永論・関谷直也(2014)『コミュニケーション論をつかむ』(テキストブックス[つかむ])有斐閣.

ホール,エドワード(著),日高敏隆・佐藤信行(訳)(1970)『かくれた次元』みすず書房.

モリス,デズモンド(著),東山安子(訳)(2016)『ボディートーク(新装版) ── 世界の身ぶり辞典』三省堂.

引用文献

大坊郁夫(1998)『しぐさのコミュニケーション ── 人は親しみをどう伝えあうか』(セレクション社会心理学)サイエンス社.

第７章　文のしくみ（統語論１）

この章で学ぶキーワード

構成素、樹形図、生成文法、統語構造、品詞、数、人称、格、定性（定、不定）

7.1　語から文へ —— 文の構造

わたしたちは自分の意思を相手に伝えるときに、言葉を使います。その際、いくつかの語を並べて、文を作るでしょう。語の成り立ちと意味については、第４章から第６章で学びました。この章では、まず文の成り立ちについて考えてみましょう。

次の文を見てください。

（1）先週庭にまいた種から小さな芽が出た。

この文は、日本語の基本的な文法と単語を知っている人なら、だれでも意味を理解できるでしょう。

ところが、この文をばらばらにして、文を構成している要素の順序を入れ替えてしまったらどうでしょうか。(2)では、わかりやすいように、要素と要素の間をあけて書いてみます。

（2）種から　庭に　出た　まいた　小さな　先週　芽が

日本語の文としてはおかしな感じになってしまいました。日本語の文法に照らし合わせると、要素が正しい順序に並んでいないので、意味がうまく伝わらない文になっているのです。

語や句の意味だけでなく、それらをどう並べるかという規則を知っていないと、わたしたちは文を作ることができません。このことは、わたしたちが外国語を学習するときに実感することではないでしょうか。

語と語が結びついてできた、文を構成する単位を**構成素**(constituent)と呼びます。構成素は、互いに結びついて、より大きな構成素を作ります。次の(3)は、構成素どうしの修飾関係のとらえ方によって、2通りの解釈が考えられる例です。

(3) 大きなスイカの種
  a. [大きなスイカの]種
  b. 大きな[スイカの種]

(3a)は、かっこで示したように、大きなスイカがあって、その種という意味で解釈できます。[大きなスイカの]という名詞句が「種」という名詞を修飾しているという構造になっています。一方(3b)は、スイカの種があって、それが大きいと述べています。この場合は、[大きな]という形容詞が[スイカの種]という句を修飾しています。これを図で示してみると、次のようになります。

図1　大きなスイカの種の樹形図

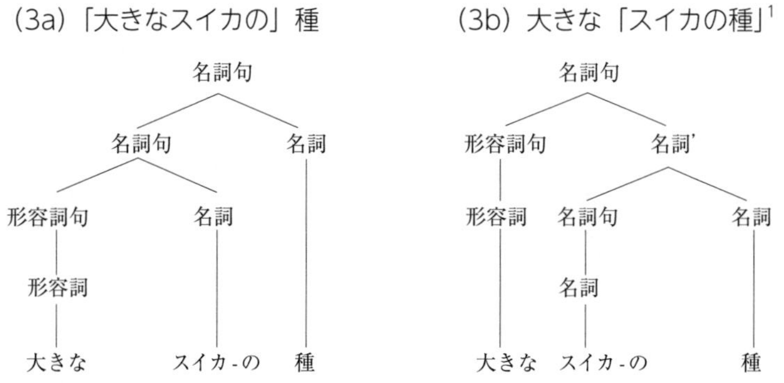

[1] (3b)の樹形図で「スイカの種」は、「名詞'」とみなされます。英語ではN'(Nプライム)と表記され、名詞N(単語)とその最大のまとまりである一番上のNP(名詞句)の中間的なレベルに位置づけられます。

英語の例もみてみましょう[2]。

(4) The mother of the boy and the girl laughed. (渡辺 2009:12)

このままだと、だれが笑ったのかがあいまいですが、動詞を進行形にするとそのあいまい性が消えます。

(5) a. The mother of the boy and the girl is laughing.
b. The mother of the boy and the girl are laughing. (渡辺 2009:12)

英語では主語が単数か、複数かによって、対応するbe動詞の形が異なります。(5a)では is laughing から、母親1人が笑っているということが明らかになります。それに対して、(5b)では are laughing となっているので、笑っているのが男の子の母親と女の子の2人であることがわかります。

図1でみたように、構成素は階層構造をなすと考えられています。そして、その様子はちょうど木が枝分かれしていくように表わせることから、このような構成素構造を表わした図を**樹形図**(tree diagram)と呼んでいます。

それでは、(1)の文の「小さな芽が出た」という部分を、樹形図で表わしてみましょう。

図2 「小さな芽が出た」の樹形図

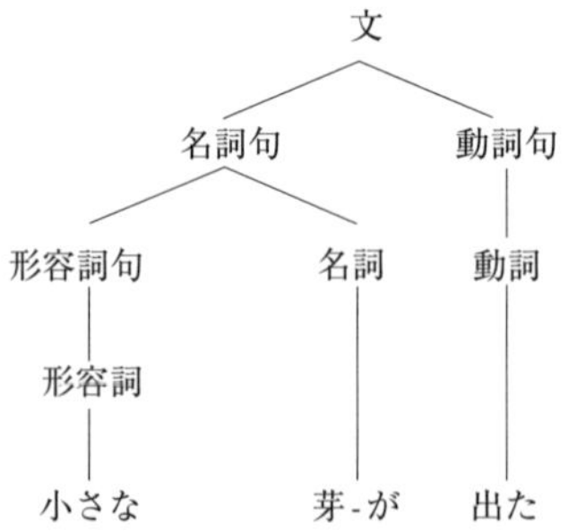

[2] 例文(4)および(5)に関する議論は、渡辺(2009:11–13)に基づいています。

この図からわかるように、文は名詞句と動詞句から構成されると考えられています。名詞句のあとに動詞句が続くという順に並んで、1 つの文が構成されます。名詞句は名詞とその他の要素が結合したものですが、この文の場合には形容詞句が名詞を修飾しているという構造になっています。動詞句も動詞とその他の要素が結合したものですが、この文の場合には動詞単独で動詞句となっています。

20 世紀後半に米国の言語学者チョムスキー（Noam Chomsky）が**生成文法**（generative grammar）という文法理論を提唱して以来、このような構成素構造が**統語構造**（syntactic structure）、つまり文の構造を分析する際の基礎になりました。

7.2　文の構成要素 —— 品詞

図 1 および図 2 では、「名詞」や「動詞」といった用語が使われていました。これらは**品詞**（part of speech）と呼ばれ、その特性によって分類されています。たとえば、名詞は「種」のような物の名称を表わし、動詞は「まく」のような動作や、「ある」や「いる」のような状態を表わします。品詞はこうした意味による分類に加えて、それぞれが現われることのできる位置も基準にして分類されています。たとえば、「小さな」は「芽」の前に来て「小さな芽」ということはできますが、「小さな」が「芽」のあとに来て「芽小さな」とはいえません。日本語では、普通は形容詞を名詞の前に置くからです。

7.3　文法について —— 数・人称・格・定性

文法は言語によってさまざまです。そのため、ある概念を言葉で表わす際には、いろいろな文法的特徴が語の形態にみられます。ここではそうした特徴のなかから、英語と日本語とを比べたときに、違いが感じられるものを取り上げます。

7.3.1　単数形と複数形 —— 数《すう》

英文法で学ぶことの一つに、単数と複数の区別があります。1 冊の本なら a book ですが、数冊の本になると books となります。このように英語の名詞は、それが 1 つ（単数）なのか、2 つ以上（複数）なのかの区別をしなくてはならないのです。

一方、日本語では、必ずしも名詞が単数か複数かを意識しません。7.1 で例に挙げた(1)でみてみましょう。

(1) 先週庭にまいた種から小さな芽が出た。

この文では、庭にまいた種が 1 粒だったのか、数粒だったのかは明確ではありません。ですから、出てきた芽が 1 つだったのか、いくつかあったのかがはっきりしません。ですが、仮にこの文を英訳するとしたら、種が 1 粒であれば a seed、数粒だったのなら seeds としなければなりません。植物の種をまくときには普通は数粒ずつまきますから、英文ではおそらく seeds と書くでしょう。そうすると、種から出てくる芽も shoots として複数であることを示さなければなりません。

日本語では、名詞が単数か複数かを明示する必要はないので、**数**《すう》(number)を常に意識するのはむずかしいことです。ですが、日本語で複数名詞を表わせないわけではありません。たとえば、接尾辞の「たち」を名詞に付ける方法があります。「大勢の人」といっても、「大勢の人たち」といっても同じ意味ですが、「人たち」のように「人」に「たち」を付けると、人が複数いることを明確に示せます。

これまでの日本語の一般的な用法では、「たち」は人に付けて複数を表わすのに用いられてきました。ところが、近年、動物につけたり、無生物である物にも「たち」を付けて複数を表わしたりする例がみられます。たとえば、(1)の例文で用いた「種」という名詞に「たち」が付く例があるだろうかと調べたところ、「したたかなタネたち」という企画展が開かれていたことがわかりました[3]。この企画展のウェブサイトには、「『身近なタネ』から、普段なかなか注目されることのない『タネ』まで、幅広くご紹介します」と書かれていました。つまり、タネの種類が多数あることから、タネの複数形として「タネたち」という言い方がされていると考えられます。これは企画展のタイトルなので、やや特殊な

---

3 企画展「したたかなタネたち」
開催場所 都市緑化植物園(国営武蔵丘陵森林公園内)
開催期間 2020 年 1 月 11 日～3 月 1 日(2 月 28 日中止)

例かもしれませんが、それでも物に対して「たち」を付ける用法が社会的に受け入れられてきている一つの例としてみてもよいかもしれません。

7.3.2　英語の代名詞 —— 人称・格・数

7.3.2.1　人称と格

英語の代名詞を覚える際に、まず「1 人称、2 人称、3 人称」という**人称**(person)の区別を学んだことでしょう。「1 人称」は英語では the first person といいます。これは話し手自身のことです。「2 人称(the second person)」は聞き手のことです。そして、「3 人称(the third person)」は話し手と聞き手以外を指します。英語では、1 人称単数の代名詞は I、複数は we です。2 人称は単数も複数も you、3 人称は単数では he/she/it、複数では they となります。

次に、**格**(case)は代名詞が文中でほかの語とどのような関係にあるかを表わしています。英語の 1 人称単数の代名詞は、文の主語になるときには I ですが、目的語になると me のように形が変わります。主語になるときの形を「主格」、目的語になるときの形を「目的格」といいます。日本語では代名詞に「わたしが」や「わたしを」のように格助詞を付けて格を表わします。

7.3.2.2　単数形に対応する they の用法

英語の 3 人称単数の代名詞は、指示対象が男性であれば he、女性であれば she が対応します。ところが、複数形には男女の区別がありません。They という語だけで、「彼ら」という意味にも、「彼女ら」という意味にもなります。このように they が男性と女性の両方を指すことができることを活かしている用法があります。

英語の伝統的な用法では、次の(6)の文のように広く一般の人びとに対して呼びかける場合、主語の everyone を if 節の中では he or she でうけなければなりません。というのは、everyone は文法的には単数として扱うという規則があるので、ひとりひとりを指すときにはその性に応じて、he か she かを区別しなくてはならないからです。

(6) Everyone can go if he or she wants to.

ところが、they という代名詞をこの he or she の代わりに使うという用法も認められています。実は (6) は、『メリアム・ウェブスター英英辞典』の they の項に載っている例文に少し手を加えたものです。もとの例文はこうでした。

(7) Everyone can go if *they* want to.
(*Merriam-Webster's Advanced Learner's English Dictionary* (2016:1706))

『メリアム・ウェブスター英英辞典』では、この例文で使われている they の意味と用法を以下のように説明しています。

he or she — used to refer to a single person whose sex is not known or specified. (彼または彼女の意。性別が不明か特定されていない 1 人の人を指す場合に用いられる。)

つまり、they は男女を特定せずに 1 人の人を指す場合に使えるということです。これは they が性に中立な 3 人称単数形の代名詞として用いられることを示しています。この用法は『メリアム・ウェブスター英英辞典』のような米国の代表的な辞書に掲載されていることからも、標準的な用法として認められていることがわかります。

そして、they はさらに新しい用法を発展させたおかげで、2019 年にメリアム・ウェブスター社が毎年選ぶ「今年の言葉 (Word of the Year)」に選ばれました。近年、みずからの性が男性または女性のいずれにもあてはまらないと考える人びとの意志が、社会で尊重されるようになりました。こうした人たちは、みずからを指すのに、he や she の代わりに、性の区別のない they を使うことを要望しています。この新しい用法の they は、「みずからの性を男女のいずれにも分類していない」という意味の「ノンバイナリー」を付けて、nonbinary they と呼ばれています。この nonbinary they の用法についての説明は、英語で学術論文を執筆する際に参照されるアメリカ心理学会 (APA) のスタイルガイドのブログにもみられます[4]。それによると、ある 1 人の人を指すのにどの

[4] APA Style Blog 'Welcome, singular "they"' より。
https://apastyle.apa.org/blog/singular-they (2021 年 5 月 22 日確認)

代名詞を使うかは、その人の意志を尊重して決めるようにとしています。そして、みずからを they と称するノンバイナリーな人に対してはその意志を尊重して、they を使うことと述べています。次の例を見てください。

(8) Kai is a nonbinary person. They attend university in their home state of Vermont and are majoring in chemistry. Kai's friend River is a transgender woman. She attends the same university and is majoring in physics.
(カイはノンバイナリーな人です。地元のバーモント州の大学に通って、化学を専攻しています。カイの友人のリバーはトランスジェンダーの女性です。カイと同じ大学に通っていて、物理学を専攻しています。)
(APA Style Blog 'Welcome, singular "they"' より)

(8) で、カイは性自認が男性でも女性でもないノンバイナリーな人と書かれています。したがって、書き手はカイの意志を尊重して、第 2 文ではカイを they という代名詞で指しています。一方、カイの友人のリバーは性自認が女性なので、書き手は本人の意志を尊重してリバーを she という代名詞で指しています。

第 12 章でさらに詳しく扱いますが、このように言葉はそれを取り巻く社会情勢に影響をうけて変化していくのです。

7.3.3　冠詞の役割 —— 定性(定と不定)

英文法で頭を悩ますものに、冠詞の用法があります。冠詞は、あるものが話し手だけでなく、聞き手にも「ああ、あれのことだな」とわかるものなのか、そうではないのかを示す印として用いられます。次の文を見てください。

(9) I was reading a book when Mary called.
(メアリーが電話をくれたとき、わたしは本を読んでいました。)

(9) で、わたしが本を読んでいたということは、この文を見ている皆さんが初めて知る情報で、まだどんな本だったのかもわかりません。このとき英文では book に a という冠詞が付いています。今度は次の文を見てください。

(10) I was reading a book when Mary called. The title of the book was *Little House on the Prairie*.
(メアリーが電話をくれたとき、わたしは本を読んでいました。本の題名は『大草原の小さな家』でした。)

(10)の英文の書出しは(9)と同じです。この最初の文を読んで、初めて読み手はわたしが本を読んでいたということを知ります。Book に付いている a という冠詞は単数という意味だけでなく、先ほど述べたように読み手にはまだ知られていない本だということも表わしています。ところが、次の文では book に the という冠詞が付いています。この the は、書き手だけでなく、読み手にも、電話がかかってきたときにわたしが読んでいたあの本というふうに、どの本のことかがわかっていることを示しています。つまり、the が付くと、その名詞は読み手も承知しているものという意味になるのです。このように読み手が承知していると書き手が想定している名詞は**定**(definite)であり、定冠詞の the を付けて標示します。一方、読み手が知らないと書き手が想定する名詞は**不定**(indefinite)で、単数形の名詞であれば不定冠詞の a (an)を付けて標示するのです。 英語ではこのように名詞(句)の**定性**を冠詞で標示します。

単数形だけでなく、複数形の名詞(句)も不定名詞句となります。次の文をみてみましょう。

(11) Lions are carnivorous. (ライオンは肉食です)

この場合、主語を lions と複数形にすることで、ライオンという動物が全般的に肉食動物であることを述べています。同じことを次のように表現することもできます。

(12) The lion is carnivorous.

定冠詞 the には、単数形の普通名詞に付けることで、その種全体を代表させるという総称的用法があります。つまり、この場合の the lion は「特定の 1 頭のライオン」ではなく、「ライオンという種類の動物全体」を指しているのです。

こうした「the ＋ 普通名詞」の用法は、その種の特性を表わす記述に用いられます。

英語では、このように名詞の定／不定の区別を必ず示すのに対して、日本語では名詞の定性を必ずしも標示しません。ですから、英語を学び始めるときに初めて定／不定を意識して区別することを学習するわけです。

ここでは詳しく紹介しませんが、冠詞に男性形や女性形などの性(ジェンダー)があったり、数が区別されたりする言語もあります。あとに続く名詞の性や数に合わせて、冠詞も変化するのです。また、冠詞が現われる位置も、英語のように名詞の前だけでなく、あとに現われるものもあり、言語によってさまざまです。

この章では、はじめに文の構造について説明したあと、文を構成する文法的な特徴を日本語と英語を比較しながら、いくつか説明しました。日本語を別の言語と比較すると、日本語の特性がみえてきます。外国語を学ぶ意味というのは、単にコミュニケーションをとる手段を増やすということだけでなく、自分の母語を客観的にみるための視座を新たに得るということでもあるのです。

問題

1. 7.1 の(3)のように、２通りの解釈が考えられるあいまいな句や文の例を、日本語や英語で考えて作ってみてください。そして、それぞれについて樹形図を作ってみましょう。

[例] ______________________________

(a)　　　　　　　　　　　　(b)

2. 以下の例から、日本語の助詞「は」にはどのようなはたらきがあると思いますか。まず自分で考えてから、日本語学の本や他の言語学の本で調べて、説明してください。

次の(1)と(2)の「...は」で表わされている部分が、文中で果たしている役割について考えてみてください。

(1) わたしは釣りが好きです。
(2) 水泳は好きではありません。

(1)の「わたしは」は、この文の主語に当たります。一方、(2)の「水泳は」は、文の主語ではないようです。その証拠に、(3)のような文を作ることもできます。

(3) わたしは、水泳は好きではありません。テニスは好きですが。

読書案内

庵功雄(2012)『新しい日本語学入門 ― ことばのしくみを考える(第 2 版)』スリーエーネットワーク.

加藤重広(2007)『学びのエクササイズ ことばの科学』ひつじ書房.

斎藤純男(2010)『言語学入門』三省堂.

斎藤純男・田口善久・西村義樹（編）(2015)『明解言語学辞典』三省堂.

佐久間淳一(2013)『フシギなくらい見えてくる！ 本当にわかる言語学』日本実業出版社.

佐久間淳一・加藤重広・町田健(2004)『言語学入門 ― これから始める人のための入門書』研究社.

渡辺明(2009)『生成文法』東京大学出版会.

引用文献

Merriam-Webster's Advanced Learner's English Dictionary. (2016) Springfield, Massachusetts: Merriam-Webster.

渡辺明(2009)『生成文法』東京大学出版会.

第 8 章　文の意味（統語論 2）

この章で学ぶキーワード

ヴォイス・態、テンス・時制、アスペクト・相、モダリティ・法性、ムード・法

この章では、第 7 章に引き続き、文の意味にかかわる要素を、日本語と英語とを比較しながら、さらに説明していきます。

8.1　ヴォイス

あるできごとが起こったことを表現するときに、わたしたちは「動作をするもの」と「動作を受けるもの」の存在を意識します。「動作をするもの」を**動作主**（agent）といい、「動作を受けるもの」を**被動者**（patient）あるいは**被動作主**といいます。この動作主と被動者との関係を表わすのが、**ヴォイス**（voice）または**態**です。

「A が B を〜した」のように、動作主を主語、被動者を目的語とする文が、典型的な**能動態**（active voice）の文です。一方、「B が（A に）〜された」のように、被動者を主語にする文は、**受動態**（passive voice）の文です。受動態の文では、必ずしも動作主が示される必要はありません。次の例を見てください。

（1）警察が犯人を逮捕した。

（1）は動作主（＝警察）が「〜する」という能動態の文ですが、これを受動態にすると、（2）のように動作主の行為によって影響をうける被動者（＝犯人）が主語になります。このとき、動作主である警察はあっても、なくても、文は成立します。

（2）犯人が(警察に)逮捕された。

この例のように能動態と受動態が対になる場合だけでなく、受動態でないと表現しにくい事柄もあります。次の例を見てください。

（3）My car was stolen.（わたしの車が盗まれた）

この場合、発話の時点では車を盗んだ犯人がわからなかったのかもしれません。そこで、話し手は動作主(＝犯人)を明らかにしないで受動文を作っています。
　同じ状況を、被害をうけた人を主語にして表現することもできます。次の(4)を見てください。

（4）I had my car stolen.（わたしは車を盗まれた）

この have 動詞を用いた構文は、形式としては「～させる」という意味の**使役態**(causative voice)の構文と同じです。次の例文と比べてください。

（5）I had my car repaired.（わたしは車を修理させた）

(5)は、ある事柄(＝車の修理)に対して主語みずからの意志がはたらいていることを示す使役文です。英語では、興味深いことに、(4)のように主語の意志に関係なく不可抗力で起こるできごとと、(5)のようにみずからの意志がはたらいてなされる事柄のどちらもが、同じ構文で表わされるのです。
　(5)の文を見て、この文の had は完了形に用いられる have なのではないかと思った人がいるかもしれません。しかし、この had は完了形で用いられる助動詞の have が語形変化したものではなく、動詞です。次のように検証してみましょう。

（6）a.　The man has stolen my car.
　　b.　Has the man stolen my car?
　　c.　The man has not stolen my car.

(7) a. I had my car stolen / repaired.
b. Did you have your car stolen / repaired?
c. I did not have my car stolen / repaired.

(6a)は現在完了形の文で、述部に現われる has は助動詞です。その証拠に、疑問文にすると、has が文頭に移動して(6b)のようになります。また、否定文にする場合は、has の直後に not を置きます。ところが、(4)と(5)で使われていた had は動詞です。ですから、疑問文や否定文にするには、(7b)や(7c)のように、助動詞 did を使わなければなりません。このように考えることで、(4)と(5)で用いられているのは動詞の had であることが検証できました。

ちなみに、日本語の受動文のなかには、英語では受動態で表現できないものがあります。それは自動詞文から作られる受動文です。

(8) 昨日、弟は雨に降られた。
(9) わたしは両親に泣かれた。

このような受動文は、間接受動文と呼ばれていますが、日本語でも(2)に対応する(1)のような能動文がありません。「〜に」で表わされているものが主語になりうる動作主ではないからです。現に、「〜に」で表わされているものを主語にして(8)と(9)の能動文を作ろうとしても、非文(=文として成り立たない文)となります。(10)と(11)の文頭についているアステリスク(*)は「成り立たない」ということを表わす記号です。

(10) *昨日、雨が弟を降った。
(11) *両親がわたしを泣いた。

8.2 テンス

だれかになにかを伝えるとき、それがいつ起こったのかを伝えるのは大事なことです。あるできごとがいつ起こったのかを文法的に表わすのが、**テンス** (tense)または**時制**です。普通は発話時(=話をしている時点)を基準にして、それよりも以前なら「過去」、発話時と同じ時点なら「現在」、発話時よりも先なら「未来」のように分けて考えます。

それでは、日本語のテンスについて考えてみましょう。日本語文法では「行った」や「食べた」のように「〜た」で終わる動詞を「タ形」と呼びます。一方、「行く」や「食べる」のような動詞の終止形は「ル形」といいます。「ル形」のなかにはこのほかにも「名詞＋だ」が含まれます。次の例を見てください。

(12) a.　学園祭がある。
　　 b.　髪を切る。
　　 c.　わたしには兄がいる。
　　 d.　いとこは警察官だ。

(12a)や(12b)のようにできごとや動作を表わす動詞の場合、「ル形」は未来に起こることを表わします。ですが、(12c)の述部のように状態を表わしている動詞や、(12d)のように「名詞＋だ」の場合、「ル形」で表わされているのは現在の状態です。過去を表わすときには、(13)のように「タ形」を使います。

(13) a.　学園祭があった。
　　 b.　髪を切った。
　　 c.　わたしには兄がいた。
　　 d.　いとこは警察官だった。

「タ形」には、過去だけでなく、完了の意味もあるとされています。ただし、「タ形」が過去を表わしているのか、完了の意味を表わしているのかを明確にするために、副詞が使われることが多いのです。たとえば、次の例を見てください。

(14) A:　昼ご飯を食べましたか。
　　 B:　はい、食べました。／はい、もう食べました。

Bで、「はい、食べました」とだけ答えると、この「タ形」が過去を表わしているのか、あるいは完了を表わしているのかがわかりません。ですが、「もう」という副詞をつけると、完了を表わしていることがはっきりします。このように、「もう」には完了の意味を明確にするはたらきがあります。「もう」に完了性を明確にするはたらきがあることは、Aのせりふに過去の時を表わす副詞がついた場合にはっきりします。

(15) A: 昨日、昼ご飯を食べましたか。
　　 B: はい、食べました。／*はい、もう食べました。

(15)のAでは、「昨日」によって、過去のできごとについての質問であることが明確になっているので、「はい、食べました」と過去時制で答えることはできますが、「もう」という完了を表わす副詞をつけて「はい、もう食べました」と答えることはできません。

英語には、このような完了性を表わす述語形として現在完了形があります。(14)のせりふを完了性に焦点をあてて解釈するなら、Aの問いは“Have you had lunch (yet)?”に、Bの答は“Yes, I (already) have.”になります。現在完了形を使っていることで、完了か未完了かについて尋ねているのはわかるので、yetやalreadyという完了性を表わす副詞はあってもなくてもかまいません。

このような「完了」と「未完了」の区別は、行為がいつ実現したのかを問題にしているというよりも、むしろ次の節で述べるアスペクトにかかわっているといえるでしょう。

8.3　アスペクト

8.3.1　動詞の表わす意味

動詞が表わすできごとや行為が、ある基準点に照らしてどのような事態としてとらえられるかを表わすのが**アスペクト**(aspect)または**相**です。たとえば、あるできごとをその開始時から終了時までのひとまとまりとしてとらえる場合、日本語では現在形を「ル形」で、過去形を「タ形」で表わします。これに対し、あるできごとの一部分だけを取り出して、未完結のこととして述べる場合は、現在のできごとなら「テイル形」を、過去のできごとなら「テイタ形」を用います。(16)と(17)を比べてみてください。

（16）a.　父は毎朝、テレビでニュースを見る。［見るという行為をひとまとまりの完結するできごととしてとらえている］
　　b.　父はテレビでニュースを見ている。［見ている途中で、まだ見終わっていない］
（17）a.　父は昨日、テレビでニュースを見た。［見るという行為が完結している］
　　b.　電話がかかってきたとき、父はテレビでニュースを見ていた。［電話がかかってきたときは、見ている途中で、まだ見終わっていなかった］

「タ形」は(16)や(17)の例のように文末に現れるだけではなく、(18)のように従属節で用いられることもあります。この場合、「タ形」は基準時よりも前に行為が完了していることを表わします。たとえば、子どもが母親に次のように頼んだとしましょう。

（18）明日スーパーに行ったときに、お菓子を買ってね。

従属節の中で「明日スーパーに行ったとき」のように「タ形」が使われていますが、この「行った」という「タ形」は完了を表わしています。完了を表わす「タ形」は、基準となる時点での動作の完了を表わすので、「明日」のように未来を表わす副詞と共に使うこともできるわけです。

このような「完了」を表わす「タ形」は、名詞にかかる連体修飾節の中でも使われます。たとえば、先生が教室で学生に用紙を配布してから、次のように指示したとしましょう。

（19）記入を終えた人は、帰ってかまいません。

この場合、用紙はまだ配布したばかりで、これから記入をしようとしている学生に対しての指示ですから、「記入を終えた」という連体修飾節の中での「タ形」は、記入が完了したらという意味で使われているのです。

8.3.2 「テイル形」のさまざまな意味

日本語の「テイル形」は、基本的には発話の時点で、ある行為やできごとが継続していることを表わします。次の例を見てください。

(20) 生徒たちが歌っている。
(21) イルカが泳いでいる。

「歌う」や「泳ぐ」は活動を表わす動詞です。英語では活動の継続を進行形で表わします。(20)と(21)のテンスは現在なので、動詞は現在進行形にします。

(22) Students are singing.
(23) Dolphins are swimming.

ところが、次の(24)は日本語では典型的に「テイル形」を用いる文ですが、英語では現在進行形にしません。

(24) 男が死んでいる。

この例文は、発話時よりも前に男性の死亡の原因となるなにかが起こり、その結果(＝男の死)が発話時以降まで続いていることを表わす「結果残存」といわれる用法です。この文を英語にすると、次のようになります。

(25) A man is dead.

(25)のように、英語では進行形ではなく、dead(死んでいる)という形容詞で状態を表わしています。

「歌う(sing)」や「泳ぐ(swim)」が活動を表わす活動動詞(activity verb)なのに対し、die は到達動詞(accomplishment verb)といわれている動詞で、活動動詞とは異なる性質をもっています。到達動詞は、ある事態が時間をかけて推移し、最終的にある到達点に達することを表わす動詞ですが、この動詞を進行形にすると到達点に向かって事態が進行している様子が表わされます。ですから、

die を “A man is dying.” と進行形にすると、「男が死にかけている」という意味になります。死という到達点に向かって、男の容体が刻一刻と変化している様子が進行形で表わされるのです。

　また、「テイル形」が頻度を表わす副詞と共に使われると、繰返しの意味が生まれます。

　(26)　わたしは毎日バイオリンの練習をしている。

この文が表わしているのは、わたしが練習をするという行為を毎日繰り返しているということです。このような繰り返される習慣的行為は、英語では次のように現在形を使って表わします。

　(27)　I practice the violin every day.

最後に、次の 2 つの例を比較しましょう。

　(28)　わたしはここに 20 年間住んでいる。
　(29)　I have lived here for 20 years.

(28) では「テイル形」が「住む」という状態の継続を表わしています。(29) は (28) を英訳した文ですが、現在完了形の “have lived” で、過去のある時点から現時点までの継続の意味を表わしています。

　ここまでみてきただけでも、日本語の「テイル形」にはさまざまな意味があって、英語ではそれらに複数の動詞形が対応していることがわかります。

8.4　モダリティ

　文は客観的な事実を述べる命題に**モダリティ** (modality) または**法性**が組み合わさってできています。モダリティというのは、命題に対する話し手の心的態度 (＝話し手の気持ちや判断) を表わす表現のことです。たとえば、「明日は雨になるかもしれない」と言う場合、「明日は雨が降る」という部分が命題で、「かもしれない」の部分がモダリティです。この例のように、命題の真偽を話し手がどうとらえているかを表わすモダリティを、**認識的モダリティ**といいます。

日本語では可能性や必然性を、「雨が降るかもしれない」や「雨が降るはずだ」のように、命題に「かもしれない」や「はず」といった言葉を付け加えて表わしますが、英語では助動詞を用いて表わします。たとえば「明日は雨になるかもしれない」であれば、“It *may* rain tomorrow.” のように〈可能性〉を表わす助動詞 may で、「明日は雨が降るはずだ」であれば、“It *should* rain tomorrow.” のように〈必然性〉を表わす助動詞 should で表現するのです。

言語によっては、モダリティを動詞の語形変化で表わすものもあり、そのようにして体系的に表わされたモダリティを**ムード**(mood)または**法**といいます。英語の動詞にも、ある事柄を事実として述べる直接法と、現実ではないことを仮定して述べる仮定法があります。たとえば「彼がここにいれば、わたしたちを助けてくれるだろうに」と述べた場合、彼は現実には今ここにいないので、これは仮定法の文です。英訳すると “If he were here, he would help us.” のようになります。If 節の中で、主語である he のあとに用いられている were と、主節の中の would help が、この文が仮定法であることを表わしています。

8.5　テンス、アスペクト、モダリティ

文は複数の語が語順にしたがって連なることによってできていますが、文の意味は個々の語の意味だけから生まれるわけではありません。文を構成する語の意味に、できごとや状態がいつ起こったのか、あるいは起こるのかを表わす「テンス」や、そのできごとや状態がどのように生じたのかを示す「アスペクト」、そして話し手がそうしたできごとや状態に対してどのように感じているかを表わす「モダリティ」が加わることによって、文の意味が生まれるのです。この章では、身近な外国語である英語と比較することによって、ふだん使っている日本語の文法を客観的にみることができたのではないでしょうか。

問題

1.　日本語のら抜き言葉について考えてみましょう。ら抜き言葉は、本来なら「られる」をつけるべきところに、「れる」をつける言い方のことです。次の例を見てください。

(1) a.　ぼくはピーマンが食べられる。
　　b.　ぼくはピーマンが食べれる。
(2) a.　そんなところに焼き魚を置くと、猫に食べられるよ。
　　*b.　そんなところに焼き魚を置くと、猫に食べれるよ。

(1b) はいえるのに、(2b) がいえないのはなぜでしょうか。ら抜き言葉の機能を、この例を使って説明してください。

2.　モダリティには 8.4 で触れた「認識のモダリティ」のほかに、「〜しなければならない」や「〜すべきだ」のような「義務のモダリティ」もあります。次の例文を英語で表現すると、どのような助動詞を用いて表わすことができますか。

(1) あなたは毎朝歯を磨かなければいけません。

(2) 約束を破るべきではありません。

読書案内

庵功雄(2012)『新しい日本語学入門――ことばのしくみを考える(第2版)』スリーエーネットワーク.
影山太郎(1996)『動詞意味論――言語と認知の接点』(日英対照研究シリーズ(5)) くろしお出版.
工藤真由美(1995)『アスペクト・テンス体系とテクスト――現代日本語の時間の表現』(日本語研究叢書) ひつじ書房.
近藤安月子(2018)『「日本語らしさ」の文法』研究社.
溝越彰(2016)『時間と言語を考える――「時制」とはなにか』(開拓社言語・文化選書) 開拓社.

引用文献

庵功雄(2012)『新しい日本語学入門――ことばのしくみを考える(第2版)』スリーエーネットワーク.

第９章 談話のしくみ（語用論 1）

この章で学ぶキーワード

文脈、直示、人称直示、時間直示、空間直示、談話、一貫性、結束性、指示、前方照応、後方照応、代用、省略、接続

これまでの章では、個々の単語や文の話をしてきました。しかしわたしたちは、日常生活ではもう少し大きな単位で言葉を使っています。そして、言葉を使う状況や目的はさまざまです。第５章と第６章で解説した「意味論」が、文脈から独立した意味を扱う分野であるのに対して、この章と次の章で解説する「語用論」は、文脈の中での意味を扱う分野です。この章では、文脈によって言葉の解釈がどのように変わるか、そして談話という 単語や文よりも大きい単位が、どのような特徴や構造をもっているのかを考えていくことにします。

9.1　同じ文でも違う意味

言葉の意味や解釈を考えるうえで重要なのが**文脈**（context）です。ひとつ例をみてみましょう。

（1）人をぶっちゃダメなんだよ。

（1）の文で、「人」とは「自分以外のすべての人」を、「ぶつ」とは「たたく、なぐる」ことを、「ダメ」とは「してはいけないこと」を意味しています。つまり、この文は「自分以外の人をたたいたりなぐったりすることは、してはいけないことである」という意味をもっています。「〜よ」という文末表現は、だれかに念押ししているように聞こえます。このように、ひとつひとつの単語の意味や文の構造がわかれば、文がもつ文字どおりの意味は理解することができます。

しかし同じ文であっても、どのような状況で使われるかによって、つまり文脈によって、意味や解釈は大きく変わります。(1)の文を読んだ時にどのような場面が浮かんだでしょうか？ 多くの人は次のような状況を思い浮かべたことでしょう。幼稚園で子どもたちが遊んでいます。A ちゃんと B ちゃんはいっしょに遊んでいたのですが、そのうちおもちゃの取り合いになりました。A ちゃんがおもちゃを奪うと、B ちゃんはくやしくて思わず A ちゃんをたたいてしまいました。A ちゃんが泣き出します。幼稚園の先生があわてて駆けつけ、二人の仲裁に入ります。A ちゃんには「おもちゃはみんなのものだから、B ちゃんといっしょに使おうね」と声をかける一方、B ちゃんには「人をぶっちゃダメなんだよ」と教えてあげます。多くの人が思い浮かべたのは、このような場面ではないでしょうか。

しかし、実はこれは全く別な場所で見つけた文なのです (図 1)。この文は 2019 年に鉄道事業者が共同で使用していた「暴力行為防止ポスター」に書かれていました。「人をぶっちゃダメなんだよ」と言われている対象は、幼稚園児ではなく大人です。この背景には、当時ニュースで話題になった、駅などの公

図 1　鉄道事業者による暴力行為防止ポスター
『人をぶっちゃダメなんだよ』

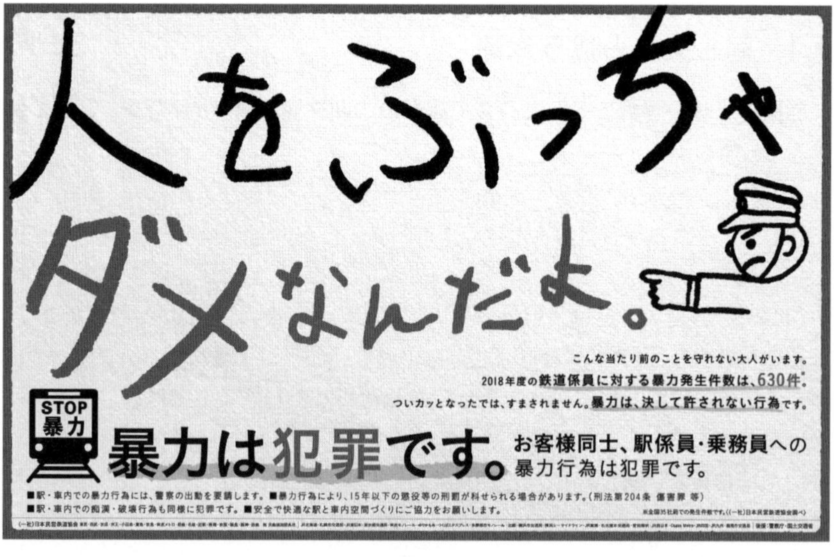

共の場で酔った大人たちが暴力行為を起こすという社会問題がありました。「暴力をふるってはいけない」というあたりまえのことを、純粋な子どもの視点からのメッセージとして出すことで、大人をハッとさせ、暴力行為の未然防止を目的としているそうです。このように、全く同じ文でも、文脈によって伝わる意味はずいぶん変わってきます。言葉の意味や解釈は、文脈と切り離して考えることはできないのです。

9.2　文脈とは何か

それでは文脈とは何かについて具体的に考えてみましょう。文脈はいくつかの種類に分けて考えることができます。

まず、言語内の文脈があります。たとえば、同じ文の中で使われている単語はもちろんのこと、小説などの長い文章であれば、その前までの文の中で使われている単語などがそうです。このような、同じ文内や前後の文章で使われている言葉のことを**共起テクスト**(co-text)といいます。

次に挙げる *A Bear Called Paddington* の出だし２つのパラグラフを読んでみましょう。下線部はそれぞれ何を指しているか考えてみてください。

(2) Mr and Mrs Brown first met $_{1}$Paddington on a railway platform. In fact, $_{2}$that was how $_{3}$he came to have such an unusual name for a bear, for $_{4}$Paddington was the name of the station.

The Browns were there to meet $_{5}$their daughter Judy, who was coming home from school for the holidays. It was a warm summer day and the station was crowded with people on $_{6}$their way to the seaside.

(2)では、Paddington という単語が２回使われています。下線部１はクマを、下線部４は駅を指しています。下線部３の he は、前の文の Paddington(クマ)を指していることがわかります。そして、下線部２の that は、前の文の「ブラウン夫妻はパディントンと駅のホームで出会った」という内容を指しています。また、同じ their という代名詞であっても、下線部５は The Browns(ブラウン一家／夫妻）を、下線部 6 は people（駅にいる人びと）を、というように別の名詞を指しています。以上は、英語という言語の基本的な文法や語彙を理解していればわかることです。

さらに言えば、第 2 パラグラフで登場する The Browns（ブラウン一家／夫妻）は、第 1 パラグラフで登場した Mr and Mrs Brown のことであり、第 2 パラグラフで登場する station（駅）とは、第 1 パラグラフで登場したパディントン駅（Paddington）である、ということは当然結びつけて解釈します。このように、わたしたちは言語内の文脈、つまり同じ文内や前後の文章で登場する情報を利用して、意味を解釈しているのです（詳しくは 9.5 を参照）。

しかし同時に、意味を正確に理解するには、言語を知っているだけでは十分ではないことも、（2）からわかります。たとえば、Paddington という名前が "an unusual name for a bear"（クマにはめずらしい名前）と言われている理由は「Paddington が駅の名前だからだ」と言っていますが、そもそもロンドンの駅名を知らない人にはピンとこないかもしれません（実際、日本では、パディントンは駅の名前ではなくクマの名前だと思っている人が多いでしょう）。つまり、意味解釈には言語の知識だけでは不十分なのです。

文脈にはこのように、言語外の文脈もあります。たとえば、物理的状況も重要な文脈です。次の 2 つの例はどのような状況で発せられた文か考えてみてください。

（3）　a. あぶない！　さわっちゃだめ！
　　　b. 見て！　きれいだねー。

（3a）は、話し手と聞き手の目の前にクモやアリのような昆虫がいる時に発せられた文かもしれませんし、包丁やカッターなど刃物があるのかもしれません。（3b）では、目の前にクリスマスのイルミネーションが見えているのかもしれませんし、ウェディングドレスを着た花嫁さんがいるのかもしれません。つまり、実際に話し手と聞き手が何を目にしているのか、どんな場所にいるのかなどによって、意味は大きく変わります。これらは物理的状況です。

さらに、社会的背景や文化に関する知識なども文脈に含めることができます。次に挙げる例は、英語の新聞の見出しです。見出しから内容が想像できるでしょうか。

(4)　a. Osaka suffers upset loss　(2020/2/9 版)
　　　b. Rethinking the need for personal stamps, seals　(2020/2/23 版)
　　　c. Tokyo games still on, for now　(2020/3/1 版)

(*The Japan Times On Sunday* より)

(4a)はテニスの大坂なおみ選手がフェドカップ(国別対抗戦)で敗戦した際の記事です。Osaka とは、ここでは都市ではなく人を指しています。(4b)は「銀行の通帳デジタル化に伴い、印鑑が必要か？」ということを議論している記事の見出しです。印鑑が日本文化の中でどのように使われているかわかっていないとピンとこないかもしれません。そして(4c)の Tokyo games とは 2020 年夏に予定されていた東京オリンピック・パラリンピックを指しています。この時期はちょうど、新型コロナウイルス感染症が世界流行していたという社会情勢を理解している必要があります。このように、言葉を正確に理解し解釈するためには、言語の情報だけでなく、物理的状況、常識、社会的背景、文化に関する知識など、さまざまな情報が必要であり、これらを合わせて文脈と考えることができます。

9.3 「あれ」「これ」は何を指すのか —— 直示・直示表現

文脈があって初めて指示内容がわかることを**直示**(deixis)、そして、そのような文脈に依存する言語表現を**直示表現**(deictic expression)といいます。たとえば、次の文はどんな意味でしょうか。

(5) わたしは明日もあそこであなたを待っています。

なんだか意味深な待合わせでありそうなことは伝わりますが、(5)を読んだだけでは、何のことやら具体的なことはさっぱりわかりません。「わたし」と「あなた」とはだれのことなのか、「明日」とは何年何月何日のことなのか、そして「あそこ」とはどの場所なのか？「わたし、明日、あそこ、あなた」などは、文脈があって初めて具体的に理解することができる直示表現の例です。直示表現には、いくつかの種類があります。代表的なものは、人称直示、時間直示、空間直示です。英語と日本語で具体例をみていくことにします。

人称直示(person deixis)とは、人を指す直示です。英語の場合は一人称(I, we)と二人称(you)があります(三人称を示す he などを直示として使うこともあります)。次の会話はシャーロック・ホームズシリーズからの引用ですが、最初の You は Watson を、2 つ目の you は Holmes を指しています。

(6) "You could not possibly have come at a better time, my dear Watson," he said cordially.
"I was afraid that you were engaged."
("The Adventure of the Red-Headed League" より)

時間直示(time deixis, temporal deixis)とは、時間を示す表現です。英語では now、then、last week、next year、tomorrow、yesterday、this afternoon などがあります。日本語の例としては「今日、明日、昨日、今、さっき、2 年前、10 年後」などがあります。

(7) a. 昨日から歯が痛い。
b. さっき出かけたばかり。
c. 今作るからちょっと待ってね。

英語からは、then の例を挙げます。この then という単語には、(8a)のように過去を指す場合と、(8b)のように未来を指す場合の 2 通りがあります。

(8) a. I wish I had known then what I know now.
b. Just wait until July — all the exams will be over by then.
(『オンライン版ロングマン現代英英辞典』より)

空間直示(place deixis, spatial deixis)とは、場所や位置にかかわる表現です。英語では here、there などの副詞や this、that などの指示詞を使う表現のことです。日本語では「これ、それ、あれ、ここ、そこ、あそこ」などがあります。

(9)　a. Stay here.
　　b. I'll be there in a minute.
(10) a. 昨夜、ここまで読んだ
　　b. まっすぐ行くと薬屋があるから、そこを右に曲がりなさい

(『大辞林』より)

直示表現を理解するには、何が中心になるかを考える必要があります。人称直示であれば中心は「話し手自身」、時間直示であれば「話している瞬間」、そして空間直示では「話し手のいる場所・位置」が中心となります。

また、直示表現が具体的に何を指すか考える際は、話し手との位置関係が重要になりますが、これは言語によって少し異なります。たとえば、英語の場合は「近い(proximal)」と「遠い(distal)」の 2 つを使い分けています。近いときに使われるのが this、here、now であり、遠いときに使われるのが that、there、then です。一方、日本語では 2 つではなく 3 つを使い分けていることがわかります。「こ・そ・あ」で表現される 3 つです。「これ、ここ」が話し手に近く(話し手の領域)、「それ、そこ」は聞き手に近く(聞き手の領域)、そして「あれ、あそこ」が両者から最も遠い(話し手と聞き手のどちらの領域でもない)と説明されます。

直示表現は文脈と密接に結びついている表現です。ふだん何気なく使いこなしていますが、話し手と聞き手の両方が、直示表現が指す内容を同じように理解して初めてコミュニケーションが成立するのです。筆者の身近ではこんなことがありました。年度末で退職を予定している先生に、2 月初旬の会議で「掃除のために 21 日までに研究室をあけてほしい」とお願いしたところ、退職する先生は大急ぎで「2 月 21 日」に間に合わせようと荷物を整理しました。ですが、伝えた先生は年度末の「3 月 21 日」のつもりだったのです。何を指しているかを両者が正しく理解していないと、このような誤解が生じることもあるのです。

9.4　談話とは何か

わたしたちは日常生活では通常、単語や文よりも大きな単位で言葉を使っています。この「文より大きいまとまりをもった単位」を**談話**(discourse)と呼びます。狭義では、話し言葉だけを指し、書き言葉については**テクスト**(text)という用語を使うこともありますが、この章では書き言葉と話し言葉の両方を指すことにします。具体的には、会話、講演、アナウンス、新聞や雑誌の記事、メール、ブログ、小説、詩、歌、買物のメモにいたるまで、さまざまな種類の談話があります。

次の文章を読んで、どんな意味か考えてみてください。

(11)　カエルのいったことはほんとうでした。日中のひどくあついときには、お姫さまはこの森へいって、すずしい泉のほとりにすわりました。そこで王さまはふりかえっていいました。むかし、ある父親がふたりのむすこをもっていました。あのぶらさがっている連中《れんじゅう》ときたら、口をきくんじゃなし、おまけに、むるいのあほうときている。

読み始めてすぐに「??」という気持ちになったのではないでしょうか。なんだか意味がよくわからず、前の文に戻って読み直したかもしれません。実はこの文章は『グリム童話集 1』の 10、20、30、40、50 ページの最初の文を抜き出したものです。つまり、もともと「つながり」が存在しないのです。(もっともすべての文が『グリム童話集』からとったものですから、大きい意味でなにかしらの「つながり」は感じたかもしれません。)

人はなにか文章を読むときには、そこに「意味」を見いだそうとします。たとえば上の例でいうと、「カエルのいったこと」は次の文の内容にちがいない。ここに登場する「お姫さま」は「王さま」の娘ではないか？ そして「王さま」と次の文の「父親」は同一人物ではないか？ と考えるわけです。

つまり人は、談話には意味的につながりがあることを期待するのです。この「談話に対して、聞き手や読み手が感じる意味的なつながり」を**一貫性**(coherence)といいます。通常 談話とは、一貫性をもった文のまとまりなのです。一貫性を見いだす時に聞き手や読み手が駆使するのが、常識、背景知識、仮定、推論などです。

そして、言語のうえで具体的に、文と文、単語と単語のまとまりを示すことを**結束性**(cohesion)といいます。次の節でその手法を詳しくみていくことにします。

9.5　まとまりを示す方法

結束性には、文法的結束性と語彙的結束性があります。文法的結束性を示す方法として、①指示、②代用、③省略、④接続、の４通りがあります(Halliday & Hasan 1976)。一つずつ、英語の例を取り上げて確認しましょう。

指示(reference)とは、既出の単語を参照することで内容を理解することです。代表的な例は、(12)のような人称代名詞です。(12a)のhimはa manを、(12b)のherはBettyを、そして(12c)のItは前の文のpeaceを示しています。

(12) a. A man came to see me, but I didn't know him.
　　 b. Betty took off her glasses.
　　 c. All of us want peace. It is more precious than anything else.

(『コンパスローズ英和辞典』より)

指示詞のthisやthatも文字どおり指示として使用されます。(13a)ではthisは前の文の「人間は本質的に身勝手な動物である」という内容を指し示しています。このように、前で使われている語句を指すことを**前方照応**(anaphora)といいます。一方、(13b)ではthisは、そのあとに出てきている内容「彼は全然お酒を飲まない」ということを指しています。これを**後方照応**(cataphora)といいます。

(13) a. A human being is by nature a selfish animal; this will never change.
　　 b. You might not believe this, but he doesn't drink at all.

(『コンパスローズ英和辞典』より)

2つ目の**代用**(substitution)とは、既出の語句を別の語句で置き換えることです。3つほど英語の例を紹介します。(14a)でoneはクッキーという名詞を、(14b)ではdidがstudyという動詞を、そして(14c)ではsoが「彼は良い医者である」という節を置き換えて使われています。

(14) a. These cookies look good! May I have one?
b. She studied harder than he did.
c. "Is he a good doctor?" "I don't think so."

(『コンパスローズ英和辞典』より)

3つ目が**省略**(ellipsis)です。省略は「ゼロで代用されている」と解釈することも可能です。下の例では、( )内の語句が省略されています。

(15) a. He found his key and (he) opened the door.
b. When (you are) angry, count ten before you speak.
c. You can speak if you want to (speak).

(『コンパスローズ英和辞典』より)

4つ目が**接続**(conjunction)です。追加(and, moreover)、逆接(but, however)、因果関係(because, therefore)、そして時間や順序(then)を示すようなつなぎの表現です。

(16) a. He thought of a new plan. Later, however, he decided to give it up.
b. Everyone disagreed with him, and therefore he gave up.

(『コンパスローズ英和辞典』より)

以上の4つの文法的結束性のほかに、語彙により結束性を示す方法があります。たとえば、同じ単語を繰り返し用いたり、語彙の関係性(類義語、同義語、対義語、上位語、下位語など)を使ったりして、まとまりを示す方法です(第6章参照)。以下に挙げる例文はすべて *A Bear Called Paddington* の冒頭部、クマのパディントンがブラウン一家と出会う場面からの引用です。下線部に注目して読んでみてください。

(17) a. It (=The bear) was brown in colour, a rather dirty brown, and it was wearing a most odd-looking hat, with a wide brim, . . .

b. Paddington licked his lips. “I’m *very* thirsty,” he said. “Sea water makes you thirsty.”

c. Mr Brown was fat and jolly, with a big moustache and glasses, while Mrs Brown, who was also rather plump, looked like a larger edition of Judy.

d. “I used to live with my Aunt Lucy in Peru, but she had to go into a home for retired bears.”
“You don’t mean to say you’ve come all the way from South America by yourself?” exclaimed Mrs Brown.

e. As she (=Mrs Brown) spoke an engine standing in one of the platforms gave a loud wail and a train began to move.

f. “Will it cost very much?” he asked. “You see, I haven’t very much money.”
“Of course not. We wouldn’t dream of charging you anything . . .”

まず(17a)の brown や(17b)の thirsty のように、単純に同じ単語を反復して使用することでまとまりを示すことができます。また、(17c) の fat と plump は類義語といえます。(17d) では、Peru と言ったのに対して South America と言っており、(17a)では、hat と brim(帽子のつば)という単語が使われています。これらも関連性のある語彙です。

語彙的結束性には、コロケーションを含めることもできます。(17e) では、engine(機関車)、platforms、train など、駅や電車に関係する単語が使われています。また、(17f) の cost、money、charge は、すべてお金にまつわる単語です。このように、語彙によって、単語と単語、文と文の結束性を示すことができます。

ここまで、英語の例をみてきましたが、結束性を示す手法は当然のことながら、日本語でも使われています。『日本むかしばなし集(一)』の「桃太郎」から例をとってみます。

(18)　桃太郎は、ずんずんずんずん大きくなりました。かわいらしいのは生まれたときからですが、とてもかしこく、とても力持にもなりました。どんな子どもだってかないません。いいえ、おとなだってかなわなくなりました。そしてまもなく、日本一の子どもになりました。もう鬼だってかなわなくなったのです。

だから、ある日のことです。桃太郎が、おじいさんおばあさんにいいました。

「おじいさん、おばあさん、ぼくが鬼ガ島へ鬼退治に行きます。おべんとうにきびだんごをつくってください。」

「それは、それは ──」

と、おじいさんおばあさんも大びっくりいたしました。それでも、人をいじめたり、こまらせたりしている悪い者を退治するというのですから、それをとめるわけにはいきません。

文法的結束性と語彙的結束性を観察してみましょう。たとえば、語彙的結束性でいえば、「おじいさんおばあさん」という同一語句が繰り返し使われています。「子ども」と「おとな」は対義語ですし、「鬼」と「悪い者」は下位語と上位語の関係があるといえそうです。「だから」「と」「それでも」などは、接続を示します。最後の「それ」とは、「鬼ガ島へ鬼退治に行くこと」を意味しています。

この章では、談話のしくみを考えました。言葉の意味を解釈するときには、言語内の文脈と言語外の文脈の両方が必要です。そして、談話という大きな単位には意味のまとまりがあり、そのまとまりを示すために人はさまざまな方法を使っているのです。

問題

1.　次の各文が使われるような文脈を、それぞれ 2 つずつ考えてみましょう。

(1) それはやめたほうがいい。

-
-

(2) そろそろ始まりますよ。

-
-

(3) あれ、どこに行くのかな？

-
-

2.　英語の直示表現である here, there, tomorrow, yesterday の例文を、文学作品や映画・ドラマなどの映像作品から集めてみましょう。そして、それぞれが具体的に「どこ」や「いつ」のことを意味しているのか考えてみましょう。

3.　9.2 の文章から、あらためて文法的結束性と語彙的結束性の例を探し、分類してみましょう。

Mr and Mrs Brown first met Paddington on a railway platform. In fact, that was how he came to have such an unusual name for a bear, for Paddington was the name of the station.

The Browns were there to meet their daughter Judy, who was

coming home from school for the holidays. It was a warm summer day and the station was crowded with people on their way to the seaside. (*A Bear Called Paddington* より)

[文法的結束性の例]

[語彙的結束性の例]

4. 次に挙げる「いばら姫」の文章を使って、本文で解説した「桃太郎」のように、文法的結束性と語彙的結束性の例を探してみましょう。

ずっと大むかしの話です。王さまとお妃さまとがありました。ふたりはまいにち、

「ああ、子どもがひとりほしいものだ。」といいくらしていましたが、いつまでたっても子どもはさずかりません。

あるとき、お妃さまが水をあびていますと、一ぴきのカエルが水の中から、おかへはいあがってきて、お妃さまに話しかけました。

「お姫さまがほしいんですか。それなら一年たたないうちにさずかりますよ。」

カエルのいったことはほんとうでした。お妃さまは女の子をおうみになりましたが、それはそれは美しいお姫さまでした。王さまはうれしくてむちゅうになり、さかんなおいわいのさかもりをひらきました。それには親類やおともだちや知りあいばかりでなく、まじないをする女たち、つまり仙女までもしょうたいしました。 (「いばら姫」『グリム童話集 1』より)

[文法的結束性の例]

[語彙的結束性の例]

読書案内

アロット，ニコラス E.（著），今井邦彦（監訳）(2014)『語用論キーターム事典』開拓社.
加藤重広（著），町田健（編）(2004)『日本語語用論のしくみ』研究社.
中島信夫（編）(2012)『語用論』（朝倉日英対照言語学シリーズ 7）朝倉書店.
Cutting, Joan (2014) *Pragmatics: A Resource Book for Students*. 3rd ed. London: Routledge.
Yule, George (1996) *Pragmatics*. Oxford: Oxford University Press.

引用文献

赤須薫（編）(2018)『コンパスローズ英和辞典』研究社.
グリム（著），相良守峯（訳）(1997)『グリム童話集 1』（岩波少年文庫）岩波書店.
坪田譲治 (2001)『日本むかしばなし集（一）』新潮社.
松村明（編）(1988)『大辞林』三省堂.
Bond, Michael (2018) *A Bear Called Paddington*. London: Harper-Collins.
Doyle, Arthur Conan "The Adventure of the Red-Headed League" *The Complete Sherlock Holmes Collection*. (Kindle 版) New York: Bedford Park Books.
Halliday, M. A. K. & Hasan, Ruqaiya (1976) *Cohesion in English*. London: Longman.
『オンライン版ロングマン現代英英辞典』
https://www.ldoceonline.com/jp/ (2020 年 8 月 3 日確認)

第10章　会話のしくみ（語用論 2）

この章で学ぶキーワード

発話行為、発語内行為、遂行文、遂行動詞、直接発話行為、間接発話行為、会話の含意、協調の原理、格率、修復、隣接ペア、話者交替、あいづち、発言権

第９章では談話のしくみを説明しました。この章では、人と人との会話をはじめとしたインタラクション（やりとり）に焦点をあて、コミュニケーションがどのように成り立っているのか考えていくことにします。

10.1　言葉には行為が伴う —— 発話行為

同じ文でも、文脈や状況によってさまざまな解釈が可能なのは、第９章で説明したとおりです。ここでもう一つ例を考えてみましょう。

（1）来週から来なくていいですよ。

この文にはどのような解釈がありうるでしょうか？　これが、病院でお医者さんが発したせりふだと仮定しましょう。ある人が足の大手術のあと、経過観察で毎週病院に通っていたとします。ある日の診察後、医師が患者に「来週から来なくていいですよ」と言ったら、「完治したので来週以降の通院は不要です」という「判断（＝診断）」を伝えたことになります。患者にとっては、うれしい内容です。

ですが、同じ文でも、たとえばあなたがアルバイト先で大失敗をしてしまって、雇用主に「来週から来なくていいですよ」と言われたとしたら、意味が変わります。この場合は、解雇の「宣告」と受け取ることでしょう。

このように、同じ文でももつ意味は変わります。と同時に、この例からわかるのは、話し手は「言葉を発すること」で「なにかを行なっている」ということです(先ほどの例ではそれぞれ「判断」や「宣告」)。人は話すことによって、命令・依頼・質問・約束・感謝・謝罪・評価・判断・予想など、さまざまな「行為」を遂行するのです。

英国の哲学者オースティン(John L. Austin)は「言葉を発することによって遂行される行為」を**発話行為**(speech act)と呼び、次の3つのレベルに分けて考えました(Austin 1962)。

表1　発話行為の分類

発語行為 (locutionary act)	言葉を適切に発する行為
発語内行為 (illocutionary act)	言葉を発することで話し手が遂行する行為
発語媒介行為 (perlocutionary act)	言葉を発したことで聞き手の考えや気持ちに影響を与える行為

(1)で挙げた2番目のケースでいえば、「来週から来なくていいですよ」という文を発する行為が発語行為であり、話し手(雇用主)が解雇を伝える「宣告」が発語内行為です。このとき、発話が「宣告」という**発語内の力**(illocutionary force)をもつという言い方もできます。そしてこの結果、聞き手ががっかりしたり、別のアルバイトを探し始めたり、あるいはもう一度チャンスが欲しいと交渉したりすることが発語媒介行為というわけです。

話し手が言葉を発することでどのような行為を行なっているかが最もわかりやすいのは、行為が動詞として明確に表現されているケースです。たとえば次のような文です。

(2) a. I <u>promise</u> that I will do my best.(最善を尽くすことを約束します。)
　　b. I <u>request</u> that the schedule be changed.(スケジュールの変更を依頼します。)
　　c. I <u>apologize</u> for being late.(遅れてしまったことを謝罪します。)

(2)のように、発話すると同時にある行為が遂行されることを意味する文を**遂行文**(performative sentence)と呼びます。(2a)から(2c)はそれぞれ約束、依頼、謝罪をしています。(2)で使われているpromise, request, apologizeのような動詞を**遂行動詞**(performative verb)といいます。

しかし実際の会話では、約束するときに必ずpromiseという単語が使われるわけではありません。I will do my best.と言うだけで約束の意味は伝わるでしょう。

10.2 Can you pass me the salt?にYes!と答えるだけではなぜだめか

次に、文タイプと発語内行為について考えてみましょう。ここでは英語の例を中心にみていきます。英語を学習するときには、平叙文、疑問文、命令文などの文タイプを学びます。ひとつひとつの文タイプは、特定の発話行為との結びつきが強いと考えられています。

表2　文タイプと発話行為

	文タイプ	発話行為
It's hot in here.	平叙文	断定
Do you like baseball?	疑問文	質問
Be quiet.	命令文	命令

「疑問文＝質問」または「命令文＝命令」というように、想定される発話行為と文タイプが一致する場合を**直接発話行為**(direct speech act)といいます。しかし実際の会話では、必ずしも一致するわけではないのです。

英語ではYes-No疑問文を学びます。Yes-No疑問文とは文字どおり、YesまたはNoで答えることのできる質問です。Do you like baseball?と聞かれたら、「好きか(Yes)」「好きでないか(No)」で答えればよいわけです。しかし、次のような場合はどうでしょうか？

(3) a.　Do you have the time?
　　b.　Can you pass me the salt?

c.　Will you shut up?

文タイプだけをみると、どの文も Yes または No で答えればよい Yes-No 疑問文ですが、会話としてはそれでは成り立ちません。(3a)では「時間を教えてほしい」、(3b)では「塩を回してください」と依頼されているわけですから、それぞれ肯定的な答えなら Yes ではなく、「時間を教える」「塩を回す」という行動が求められます。また(3c)では「静かにしろ」と命令されていることになりますから、従うなら「おしゃべりをやめる」必要があります。このように、疑問文が「質問」ではなく、「依頼」や「命令」を表わすなど、想定される発話行為が文タイプと一致しない場合を**間接発話行為**(indirect speech act)といいます。

10.3　会話の大原則は協力し合うこと —— 協調の原理と 4 つの格率

次のような、友人どうしの会話を考えてみてください。

(4)　A:　いろいろ話したいこともあるし、今週いっしょにごはんどう？
　　 B:　あー。来週受けなきゃいけない資格試験があるんだ。

(4)で A さんが「いっしょに食事に行こう」と誘ったのに対して、B さんは「来週資格試験を受ける」という事実を述べています。文字どおりの意味だけを考えれば、A さんの誘いに対して、B さんは関係のない事実を述べただけのようにも思えます。しかし、B さんの返答を聞いて、おそらく A さんは次のように解釈するでしょう ──「来週資格試験があるということは、今週はその準備のために勉強しなければいけない、したがって今週いっしょに食事に行くことはできない」と。つまり、今週の食事の誘いは断られているのだと解釈するのです。

このように、人は「文字どおりの意味」を超えた「言外の意味」を伝え、理解する力をもっています。この言外の意味を英国の哲学者グライス(Paul Grice)は**会話の含意**(conversational implicature)と名づけました。なぜ話し手は、文字どおりの意味を超えた会話の含意を相手に伝えることができ、そして聞き手はそれを理解することができるのでしょうか。

グライスが提唱したのが、**協調の原理**(cooperative principle)です(Grice 1975)。会話は、話し手と聞き手が、共通の目的を達成するために、お互い協力し合って成り立っているという考え方です。そしてそのために、4つの**格率**(maxim)に従っていると考えました(表3)。格率というのは少し硬い表現ですが、「原則や原理」という意味だと考えてください。

表3　グライスの4つの格率

① **量の格率**
1. 会話の目的のために必要な情報を与えること
2. 要求されている以上の情報を与えないこと
② **質の格率**：真である発言を行なうよう努めること
1. 偽だと思うことを言わないこと
2. 十分な根拠のないことを言わないこと
③ **関係の格率**
関連のあることを言うこと
④ **様態の格率**：明快な言い方をすること
1. わかりにくい言い方をしないこと
2. あいまいな言い方を避けること
3. 簡潔な言い方をすること
4. 順序立った言い方をすること　(Grice 1975より)

量の格率とは、「必要なことを必要なだけ言う」ということです。つまり、情報が多すぎても少なすぎてもいけないということを意味しています。質の格率とは、「自分がうそや偽りだと思っていることや確信のもてない、根拠のないことを言わない」ということです。関係の格率とは、「その場の状況と関係のないことを言わない」ということです。そして、様態の格率とは、「簡潔かつ明瞭に述べる」ということです。4つの格率をまとめれば「うそをつかず、関連のある情報を、ちょうどいい分量だけ、明瞭に伝える」ということになります。これに対して、次のような2つの反応が考えられます。

一つは「あたりまえのことばかりではないか！」という反応です。「うそをつかない」というのは幼いころから親や学校の先生に言われていることでしょうし、話しているときにいつも関係のないことばかり返してくる友だちとはおしゃべりしたくないと感じるでしょう。くどくどと話が長い人の言うことは聞く気になれないかもしれません。どれもあらためて言われなくてもわかっていることです。

もう一つは、「あたりまえのことかもしれないけれど、いつも守れているわけではない」という反応です。たとえば、次の会話をみてください。

(5) 古本屋の店主 William が万引き犯(Thief)をつかまえて声をかける。

a. William: We've got a security camera in this bit of the shop.
b. Thief: So?
c. William: So, I saw you put that book down your trousers.
d. Thief: What book?
e. William: The one down your trousers.
f. Thief: I haven't got a book down my trousers.

(『ノッティングヒルの恋人』より)

(5f)で Thief は「ズボンの中に本なんて隠していない」と、明らかにうそをついています。このように、実際には格率(この場合は質の格率)に違反する(violate)こともあります。この場面では William は Thief がうそをついたことをわかっていますが、現実社会では聞き手がうそを信じてしまうことも、もちろんありえます。

また、格率を守りたいけれど守れないこともあります。たとえば、ある格率を守ろうとすると別の格率を守れない、格率が衝突する(clash)場合です。

(6) A: 高橋さんってどこに就職したんだっけ？
B: 確か出版社だったと思うなぁ。

量の格率に従うならば、できるかぎり適切な量の情報を伝える必要があります。その意味では、(6)で明確な会社名を言っていない B さんの情報は不十分です。しかし、質の格率を守ろうとすると、根拠のないいいかげんな情報を与えることはできません。つまり、量の格率と質の格率が衝突してしまうわけです。このようなときは、質の格率が優先されるようです。

確かに、人は会話の中で、4 つの格率に従おうとしていると思えるふしがあります。たとえば(6)で、B さんは「確か」という表現を使って、自分の情報が正確ではない可能性を示唆しています。同じように、「うろ覚えなんだけど…」「うわさなんだけど…」という表現を使うのも、質の格率を守ろうという気持ちの表われです。また、会話の中で「話は飛ぶけど…」「さっきの話に戻るけど…」という表現を使うのは、関係の格率に忠実であろうとするためです[1]。これらの表現は、話し手が格率を守ろうとしていることの証明ともいえます。

なんらかの理由で、話し手が 4 つの格率に従わないという決断をすることもありえます。格率を守ることをやめる(opt out)ときです。たとえば、情報を求められたときに「ごめんなさい、答えられません」と言えば、量の格率を守ることを明確に拒否していることになります。しかし、明確に断っているということは、少なくとも協調的であろうとする姿勢でもあります。

上で説明したようなケースがあるとはいえ、グライスは、会話の参加者が基本的に協調の原理と 4 つの格率に従っていると想定するからこそ、会話の含意を理解できるのだと説明しています。つまり、特別な理由がないかぎり、会話の相手は協調の原理と 4 つの格率に従って話をしてくれていると考えるのです。
次の会話はどのような意味でしょうか？ (7)では、Bella と Max がホームパーティーの準備をしながら、William のうわさ話をしています。William は二人の共通の友人ですが、現在独り身でガールフレンドがいません。

(7) Bella と Max の台所での会話
Max: He's bringing a girl?
Bella: Miracles do happen. (『ノッティングヒルの恋人』より)

文字どおりの意味だけを考えると、全く無関係な文が 2 つ並んでいるように見えます。しかし、会話は成立しているのです。なぜかというと、関係の格率に従っていると考えるからです。Max が「(ふだんはもてない)William が、今日のホームパーティーにガールフレンドを連れてくるんだって？」と尋ねたのに対して、

[1] 英語の例については Cutting (2014) を参照。

Bella は「奇跡は起こるものね」と答えています。Bella が協調的であると想定するなら、関係の格率に従って関係のあることを言っているにちがいありません。Bella のいう奇跡とは「いつももてない William にガールフレンドがいること」であり、「William がガールフレンドを連れてくること」を「奇跡が起こる」と表現しているのです。

このように、会話の相手が 4 つの格率に従っていると想定するからこそ成り立つ解釈があります。さらにおもしろいのは、相手が格率を明らかに無視している(flout)と思えるときです。次の会話の意味を考えてみてください。

(8) ボーイフレンドにふられて帰って来た親友に声をかけて
　A: だいじょうぶ？ 気分はどう？
　B: 最高！

文字どおりの意味をとれば、ふられた B さんは「最高の気分」だということです。しかし、似たような経験がある人なら、B さんがおそらく「最高」という言葉を正反対の意味で使っていることがわかると思います。つまり気分は「最悪」のはずです。(8)で、B さんは質の格率を無視することで、皮肉を表現しているのです。

たとえば、学校から帰って来た娘に、「今日学校どうだったの？」とお母さんが尋ねたところ、娘が「普通…」と答えるようなケースを想像してください。お母さんが求めているのは、もっと詳しい情報ですから、娘の「普通」という答えは、十分な情報を与えておらず、量の格率を無視していることになるわけです。これは文字どおり「普通の一日であり、特に報告するようなことはない」という意味かもしれませんが、「話したくない」という意思表示である可能性が高そうです。

最後に、様態の格率にかかわる例をみましょう。(9)では、William が自宅に来た映画スター Anna に話しかけていますが、Anna は迎えが早く来ることを待っており、William とは気まずい雰囲気です。

(9) William は Anna に飲み物を勧めてみる
　a. William: Would you like a cup of tea before you go?

b. Anna: No thanks.
c. William: Coffee?
d. Anna: No.
e. William: Orange juice — probably not. Something else cold — coke, water, some disgusting sugary drink pretending to have something to do with fruits of the forest?
f. Anna: Really, no. (『ノッティングヒルの恋人』より)

William は冷蔵庫の中に入っているソフトドリンクを、「森の果物を連想させるようなくだらない甘い飲み物[2]」(9e 下線部)と、あえて「長ったらしくわかりにくく」表現しています。つまり様態の格率を無視しているわけです。Anna が飲みたいと思わないであろうことがわかっているため、直接的な表現を避けてごまかしているのですが、それがユーモラスな効果を生んでいます。

ここまでグライスの協調の原理と 4 つの格率について説明してきましたが、これらに対して批判がないわけではありません。たとえば日本では、なにかおみやげを持って行ったときに、「つまらないものですが」という表現を使うことがありますが、本当に「つまらないもの」ならおみやげとして渡すわけはないので、これは質の格率に従っていないことになります。このように、文化によって格率のとらえ方が違うこともあります。

わたしたちは日常生活でよく「行間を読む」「空気を読む」というような表現を使いますが、わたしたちがなぜ、そのような「言葉で表現されていない意味」、つまり言外の意味を理解できるのか、というのはとても興味深い問題です。

10.4 話し手と聞き手の間の会話のルール —— 会話分析

それでは最後に、会話の構造を詳しくみていきたいと思います。「会話はキャッチボール」といわれるように、会話には話し手と聞き手がいます。そして、1 対 1 で行なわれるとはかぎらず、複数の参加者がいることがありますが、話すのは通常一人ずつです。まず例として、(10)をみてみましょう。

---

[2] (9e)下線部の訳は『ノッティングヒルの恋人』による。

(10) ブラウン夫妻とクマのパディントンが、駅で初めて会ったときの3者の会話[3]

a. Paddington:　Good afternoon.

b. Mr Brown:　Er . . . good afternoon.

c. Paddington:　Can I help you?

d. Mr Brown:　Well . . . no. Er . . . as a matter of fact, we were wondering if we could help you.

e. Mrs Brown:　You're a very small bear.

f. Paddington:　I'm a very rare sort of bear. There aren't many of us left where I come from.

g. Mrs Brown:　And where is that?

h. Paddington:　Darkest Peru. I'm not really supposed to be here at all. I'm a stowaway!

i. Mr Brown:　A stowaway?

j. Paddington:　Yes. I emigrated, you know.

(*A Bear Called Paddington* より)

(10)をみると、会話は対の構造をもっていることがわかります。たとえば(10a)でパディントンが挨拶をしたのに対し、(10b)でMr Brownが挨拶を返しています。(10c)でパディントンが質問をしたのに対して、(10d)でMr Brownが答えています。さらに、(10e)のMrs Brownのコメントについて、(10f)でパディントンが説明を加えています。そして(10g)で今度はMrs Brownが質問するのに対して、(10h)でパディントンが答えています。最後に(10i)でMr Brownはパディントンがstowaway(密航者)と言っているのに対して、聞き返しています。これは**修復**(repair)の一種です。修復とは、理解を助けるために、発言の一部を繰り返したり、言い直したりすることです。(10j)でパディントンは、stowawayをI emigrated(移住してきた)と言い直して説明しています。

(10)でみられるような、会話の中で一対のやりとりとなる単位のことを**隣接**

[3] (10)は原書の会話部分の抜粋。

ペア(adjacency pair)と呼びます。隣接ペアには、以下のような例があります。

表 4　隣接ペアの例

①	a. 挨拶	ただいま
	b. 挨拶	お帰り
②	a. 質問	ごみ出しといてくれた?
	b. 回答	出したよ
③	a. 招待	明日いっしょに買物に行かない?
	b. 受諾	いいよー
④	a. 依頼	テレビを消して
	b. 受諾	はーい
⑤	a. 評価	あの映画良かったねー
	b. 賛成	最高だったね

隣接ペアだからといって、対になるものが必ず直後に続くとはかぎりません。たとえば、次のような会話もありえます。

(11)
A_1: 明日いっしょに買物に行かない?
B_1: 何時ごろ?
A_2: 午前中
B_2: あー午前中ならいいよ。午後は約束があるんだ。

(11)では隣接ペアを 2 つ観察することができます。A_1 の招待に対する答えが B_2 で、その間に B_1 の質問とそれに対する A_2 の答えがあります。このように実際の会話では、隣接ペアの間に別の隣接ペアが入ることもありますし、対になるものが言葉ではなく行動で示されることもあります。

また、表 4 のペアを見て、なにやら素直すぎる返答が並んでいると感じた人もいると思います。③「招待—受諾」、④「依頼—受諾」、⑤「評価—賛成」は、どれもいわゆる肯定的な反応です。これを「優先される」形と呼ぶとすると、これとは反対の「優先されない」形も存在します。たとえば招待や依頼ならば「拒否」もあるでしょうし、評価であれば「否定」も当然のことながらありうるわけです。このような「優先されない」返答のときは、言いよどみやポーズ(休止や間《ま》)が入ったり、説明が長くなったりする傾向があるともいわれています。

ここまでみてきたように、会話の参加者は順番に話し手そして聞き手となります。これを**話者交替**(turn-taking)といいます。また会話では、話し手は常に話し手で、聞き手は常に聞き手でいる、というわけではありません。ひとりが一方的に話しつづけるようなケースもありますが、そのようなとき聞き手は、「へー」「なるほど」などの**あいづち**(back channel)を打ちます。お互いの顔が見える会話では、うなずいたり、笑顔を見せたりすることもあいづちといえるでしょう。

通常の会話では、特に前もってルールを決めていないにもかかわらず、ごく自然に話し手と聞き手が入れ替わって話します。たまに、話そうと思うタイミングが重なってしまって、「あっ、お先にどうぞ」というような気まずい瞬間もありますが、そのようなことはそれほど頻繁に起こるわけではなく、ほとんどの場合 交替はスムーズに行なわれます。では、人は何を手掛かりに話者交替を行なっているのでしょうか。

話者交替にふさわしいタイミングはいくつかあります。先ほど説明した隣接ペアのように、たとえば話し手が質問をしたら、聞き手はそれに答えることを期待されるので、自然と話者は交替します。また、1 つの文が終わるときなど、意味が区切れるときも話者が交替するタイミングです。このほかにも、聞き手が自分が話したいという合図を送ることもできます。たとえば、息をスッと吸い込んだり、少し前のめりになるなど、ボディランゲージで合図を送ります。このような暗黙の話者交替のルールを、人は身につけているのです。

また会話の中で話している人は、**発言権**(floor)をもっているといえます。たとえば、政治家の討論番組などでは、発言権をめぐる争いがみられます。討論では、自分の意見を強く主張したいわけですから、なるべく話し手でありつづけたい、つまり話者交替をしたくないのです。そのため、ほかの人に割り込まれないように、通常区切らないようなタイミングで息を吸い、あえて区切れ目でポーズをおかないというような工夫をしたりします。

このように、人はルールを守りながら、時には破りながら、コミュニケーションを行なっているのです。

問題

1. 発語内行為で「依頼」となる例を、映画や小説などから５例集めてみましょう。そして、それぞれがどのような文脈で使われて、どのような文構造をもっているか説明してください。

2. 質の格率を無視することで皮肉を表わす場面や会話を考えてみましょう。

3. 次の映画の一場面から、隣接ペアを探してみましょう。

お忍びで古本屋に買物に来ていた有名な映画スター Anna が、万引きを指摘された男(Thief)に話しかけられる。

a. Thief: Excuse me.
b. Anna: Yes.
c. Thief: Can I have your autograph?
d. Anna: What's your name?
e. Thief: Rufus.

Anna が紙にサインをしてあげると、Thief(＝Rufus)はそれを読む。

f. Thief: What does it say?
g. Anna: Well, that's the signature — and above, it says 'Dear

Rufus — you belong in jail'.

h. Thief: Nice one. Would you like my phone number?

i. Anna: Tempting but . . . no, thank you.

(『ノッティングヒルの恋人』より)

4. テレビの討論番組などを録画し、会話の一部を書き起こしてください。どのようなタイミングで話者交替をしているか、分析してみましょう。

読書案内

アロット，ニコラス E.（著），今井邦彦（監訳）（2014）『語用論キーターム事典』開拓社.

オースティン，J. L.（著），飯野勝己（訳）（2019）『言語と行為 ── いかにして言葉でものごとを行うか』（講談社学術文庫）講談社.

加藤重広（著），町田健（編）（2004）『日本語語用論のしくみ』研究社.

グライス，ポール（著），清塚邦彦（訳）（1998）『論理と会話』勁草書房.

中島信夫（編）（2012）『語用論』（朝倉日英対照言語学シリーズ 7）朝倉書店.

Cutting, Joan (2014) *Pragmatics: A Resource Book for Students*. 3rd ed. London: Routledge.

Yule, George (1996) *Pragmatics*. Oxford: Oxford University Press.

引用文献

カーティス，リチャード（著），照井しずか・荒川良（訳）（1999）『ノッティングヒルの恋人』愛育社.

Austin, John L. (1962) *How to Do Things with Words*. Oxford: Clarendon Press.

Bond, Michael (2018) *A Bear Called Paddington*. London: HarperCollins.

Cutting, Joan (2014) *Pragmatics: A Resource Book for Students*. 3rd ed. London: Routledge.

Grice, H. Paul (1975) "Logic and Conversation." *Syntax and Semantics* 3, pp. 41–58.

第 11 章　言語のバリエーション（社会言語学 1）

この章で学ぶキーワード

社会言語学、変異・バリエーション、地域方言、社会方言、連帯意識、潜在的威信、多言語使用、二言語使用、コード切り替え、ダイグロシア

11.1　社会言語学とは

これまでの章でみてきたように、言語はさまざまな角度から光を当てることで、実態を探ることができます。**社会言語学**（sociolinguistics）は、言語と社会の関係を扱う研究分野です。第 7 章で紹介した生成文法では、言語がもつ社会的側面は考察の対象とされませんでした。それに対して、社会言語学は、言語を社会から切り離されたものとしてとらえるのではなく、人びとが言語に対してどのような意識をもっているのか、またどのように言語を使用しているのかという点から、言語が社会の中で果たしている機能を考察します。

社会言語学の創始者の一人であるラボフ（William Labov）は、1960 年代に当時盛んであった生成文法研究に対抗するように、ニューヨーク市民が話す英語にみられる発音の特徴を、話し手が属する社会階級ごとに分析するという独創的な調査を行ないました。まず、客層が異なる 3 つのデパートを調査地点に選び、あらかじめ 4 階にどんな商品が置いてあるかを調べておきました。次に、各デパートの店員に 4 階で売っている商品の名前を挙げて「○○はどこにありますか」と尋ね、店員が「4 階（fourth floor）です」と答えた時に、/r/ がどの程度発音されているかを調べました。その結果、主に労働者階級が利用するデパートや、主に中流階級が利用するデパートと比べて、高級デパートの店員のほうが母音の直後の /r/ を発音する率が高いということを明らかにしました。この研究は、階級という社会的属性によって生じた発音の**変異**（バリエーション；

variation）を明らかにした点で、画期的であると評価されました。このようにして明らかにされた言語の変異は、のちに社会言語学の主要な研究対象の一つとなりました。

もう一つの社会言語学の主要な研究対象は、言語の選択です。複数の言語が話せる人は、いくつかある選択肢の中から使用する言語を意図的に選択します。たとえば移民の場合、家庭では家族と母語で話すのに対して、学校や職場ではクラスメートや同僚と、移住した国の言語で話します。このように母語でコミュニケーションができない場合は、場面に応じて使用する言語を切り替えなければなりません。社会言語学では、この例のように話し手がどのような状況下で、どんな意図をもって、言語を選択するかという問題も研究対象としています。

話し手が意識的に行なう選択の結果、社会の中で言語変化が起きることがあります。たとえば、ニューヨーク市では第二次世界大戦前までは、母音の直後の /r/ を発音しないのが標準的な発音とされていました。ところが、戦後は反対に、母音の直後の /r/ を発音するほうが標準的な発音とみなされ、主流となりました。これは言葉に対する人びとの意識の変化が、言語変化をもたらした一つの例です。

先に挙げた研究で、ラボフは店員が一度答えたあとで わざとよく聞こえなかったふりをして、答えをもう一度聞き返しました。すると、最初は /r/ を発音しなかった店員にも、2 度目は /r/ を発音するという変化がみられました。これは、母音の直後の /r/ を発音するほうが標準的な発音だという意識が話し手にあり、そのために何気なく発音するときには /r/ を発音しなくても、注意深く発音するときには /r/ を発音したのだと考えられています。

言語変化と、それをもたらす社会的要因を探ることも、社会言語学の課題です。以降の節と次の章で、こうした社会と言語とのかかわりに関する研究を取り上げていきます。

11.2　方言

方言には、各地域に根ざした**地域方言**（regional dialect）と、社会において共通する属性をもつ集団が使う**社会方言**（social dialect）があります。まず 11.2.1 で地域方言について扱い、社会方言については 11.2.2 で取り上げます。

11. 2. 1　地域方言

地域方言は、各地域に特有の方言です。ある言葉が、地域方言なのか、それとも独立した言語なのかを判断するのは、実は容易ではありません。両者を区別する基準の 1 つに、相互理解可能性があります。これは、自分が話す言葉が相手に通じるかどうかということです。お互いに相手の言っていることがわかれば、双方が話しているのは 1 つの言語の変種、つまり方言であるとみなされ、一方、お互いに相手の言っていることが理解できないのなら、別々の言語であるとみなされます。この基準は明解なようですが、むずかしい点もあります。たとえば、北欧のデンマーク語・スウェーデン語・ノルウェー語を例にとります。この 3 つの言語は祖先が共通の 1 つの言語であるため、言語的に共通点が多く、お互いに通じる度合いが高いといわれています。したがって、方言どうしとみなしてもよいほどですが、そうせずに別々の言語とみなすのは、これらを使用している国がそれぞれ独立国家であるからです。つまり、言語学的要因からではなく、社会的な要因によって別々の言語とみなされているのです。一方、琉球諸島の言葉は、日本語の標準語と発音や語彙の面で大きな違いがありますが、独立した言語ではなく、日本語の方言とみなされています。これは琉球諸島が日本の領土であるためです。このように、相互理解可能性は、方言と言語を区別する基準として十分ではありません。

また、方言はある境界線ではっきりと変化するわけではなく、少しずつ変化していく連続体を成していると考えられています。したがって、ある地域に系統が同じ言語変種がいくつか存在する場合、地理的に離れた変種どうしは互いに通じないほど異なっているのに、地理的に隣接している変種どうしは互いに理解できるほどに類似しているという現象がみられます。たとえば、標準ドイツ語と標準オランダ語は互いにほとんど通じないのに対し、両国の国境付近のドイツ語方言とオランダ語方言は互いに通じるといわれています。これはドイツ語とオランダ語が系統を同じくする言語で、同じ方言連続体に属しているためです。

11. 2. 1. 1　標準語との使い分け

わたしたちは、ふだんの生活の中で、話す相手や言葉を使用する場面によって、地元の地域方言と標準語を使い分けることがあります。次のページの図 1 は、

図１　方言と共通語の使い分け

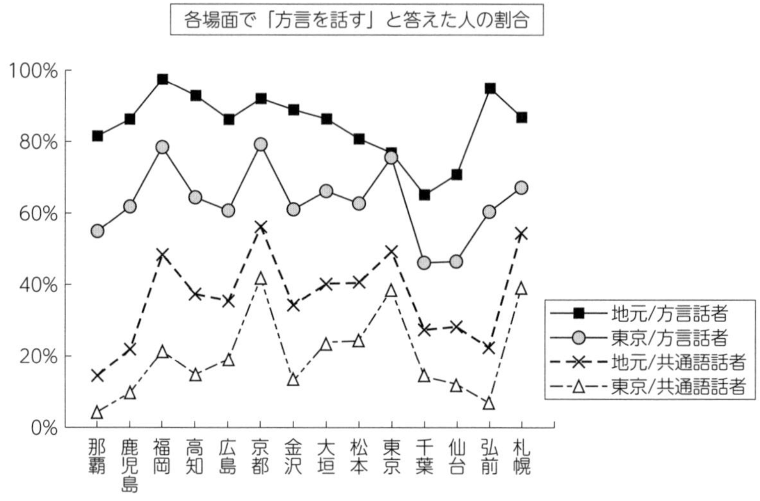

（半沢（2003: 208）図６より転載）

方言と共通語（標準語）の使い分けについて、1994 年から 95 年にかけて、日本の 14 地点で 2,800 人を対象に行なった意識調査の結果です。以下の 4 つの場面で、方言と共通語のどちらで話すかを尋ねたものですが、すべての調査地点で、「方言を話す」と回答した人が 1 から 4 の順に減少しています（半沢 2003）。

1. 方言を話す知人と地元の道端で話すとき　（地元/方言話者）
2. 方言を話す知人と東京の電車の中で話すとき　（東京/方言話者）
3. 共通語を話す見知らぬ人と地元の道端で話すとき　（地元/共通語話者）
4. 東京で共通語を話す見知らぬ人に道を尋ねるとき　（東京/共通語話者）

（　）内は（話す場所/話す相手）

このことから、どの調査地点でも方言と共通語の使い分けは、話をするのが地元か東京かという場所の違いよりも、相手の話す言葉が方言か、共通語かに影響されていることがわかります。

同じように、1983 年から 84 年にかけて大阪府豊中市と京都府宮津市で行

図 2　方言と共通語の切り替え意識

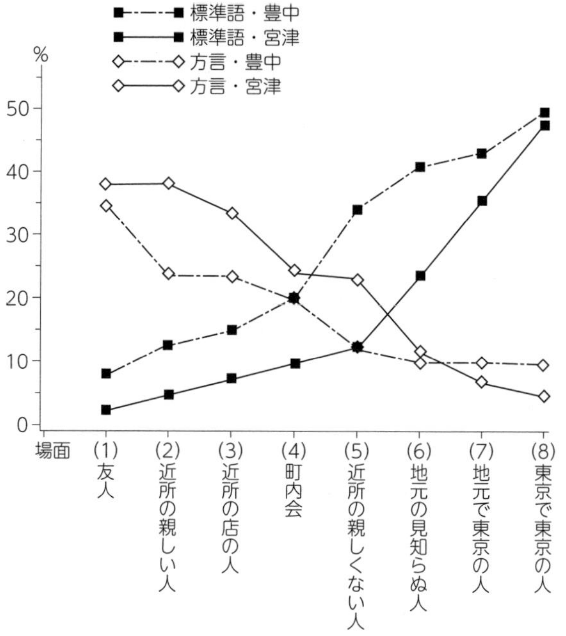

（杉戸（1992: 36）図 2 より転載）

なわれた方言と共通語（標準語）の使い分けの調査でも、相手の話す言葉が使い分けのうえで最も重視されていることがわかっています（杉戸 1992）。この調査では、より詳しく（1）～（8）までの場面別に、話し手の意識を調査しました。図 2 から、豊中市でも宮津市でも、共通語が使われる割合は、友人間という気のおけない間柄で最も低く、「東京で東京の人と話す」という改まった場面で最も高くなっています。このことから、方言と共通語の使い分けには、相手との親しさや場面の改まり度が影響していることがわかります。

11.2.1.2　地域方言に対する新しい見方

日本各地の地域方言は、1970 年代ごろまでは話す際にひけめを感じるような言葉でした。ところが、2000 年代に入ってから、方言を使うことを若い世代が楽しんだり、方言を使ったテレビコマーシャルが話題になったりするなど、地域方言にそれまでなかったようなポジティブなイメージがもたれるようになってきました。

たとえば、漫画などに登場する「大阪人・関西人のキャラクターに期待される性質」についての調査では、「冗談好き」「笑わせ好き」「おしゃべり好き」というイメージをいだくという回答が上位を占めています(金水 2003)。このような方言に結びついているステレオタイプ的なイメージを利用して、みずからのキャラクターを装うことは、方言コスプレと呼ばれています(田中 2011)。関西出身者でもないのに、関西弁で「なんでやねん」と相手の発言にツッコミを入れたりするのは、その例といえるでしょう。

11.2.2　社会方言

社会方言は、年齢・性別・職業・社会階級などの属性が共通する社会集団に特有の言葉で、集団ごとに変異がみられます。

11.2.2.1　年齢による社会方言

若者言葉は、主に十代の若者が仲間どうしのくだけた会話で使うもので、中年以上の話し手の言葉づかいとは、語彙やイントネーションに違いがみられます。

日本語の若者言葉の特徴の一つに「短縮化」があります。その一例に、形容詞の短縮形があります。たとえば、「キモい(＝気持ち悪い)」「きしょい(＝気色悪い)」「ムズい(＝むずかしい)」などがその例ですが、こうした形容詞の短縮形は一般的によくない意味のものが多いようです。

若者は、動詞も短縮化して使う傾向があります。「る言葉」がその例ですが、主に若者が使う比較的新しい例に、「ググる(＝Google で調べる)」や「バズる(＝インターネット上の投稿が話題になる)」などがあります。

「ぼかし言葉」も若者言葉の一種です。これは、言葉の途中にはさまれる「とか」「的に」「みたいな」等の断定を避けてぼかす表現のことです。たとえば、「わたし的にはいいと思います」とか、「こんな感じでいいかな、みたいな」のように使われます。このようなぼかし言葉は、断定を避けることで、相手の反応を見ながら、相手を傷つけないようにすると同時に、自分に深入りされることをも嫌うという若者心理の表われなのかもしれないといわれています(田中・田中

2015)。

一般的に若者言葉は、標準的な言葉づかいとはみなされないため、社会的には低く見られる変種です。ですが、若者どうしでこの言葉を使うとき、話し手たちの間には**連帯意識**（solidarity）が生まれます。また、この変種を使うことで、所属する社会集団への帰属意識が強められるという効果もあります。このことから、この変種には**潜在的威信**（covert prestige）があるとされています。

11.2.2.2　性別による社会方言

性別に特徴づけられる社会方言の例としては、「女言葉」や「男言葉」と呼ばれる変種があります。言語によっては、話し手の性別で、言語形式が変わる場合があります。たとえば、ポルトガル語では「ありがとう」と言う際、話し手が男性ならば “Obligad*o*”、女性ならば “Obligad*a*” のように、語末の母音が話し手の性別に対応して、それぞれ男性形と女性形に変化します。日本語では、「あぶないぞ」のようなせりふがあれば、文末で「ぞ」が使われていることから、話し手は男性だと推測できます。また、「おれ」という一人称単数代名詞は、地域方言を除けば男性が典型的に使用するのに対し、「わたし」は男性でも女性でも用いることができます。一方、「あたし」は女性が典型的に用いる代名詞です。

11.2.2.3　職業による社会方言

職業語は、ある職業の人たちが同業者どうしで使うものですが、部外者には意味がわからないことが少なくありません。医療界の職業語にはドイツ語に由来するものがありますが、「アナムネ」もその一例です。これはドイツ語のAnamneseに由来し、既往歴や病歴という意味です。「アナムネをとる」と言えば、「患者の入院歴や病歴を調べる」という意味になります。

また、料理屋でお茶のことを「あがり」と言ったり、建設現場で土砂を運ぶ一輪車を「ネコ(猫車)」と言ったりするのも職業語の例です。

11.2.2.4　階級による社会方言

階級が意識される社会においては、特定の社会階級の人たちが用いる階級方言があります。英国では階級方言の特徴によって、話し手がどの社会階級の出身なのか、その出自がわかるといわれています。11.1で紹介したラボフの研究も、階級方言にみられる変異を調査したものです。デパートの店員は、みずからの話し方を顧客の話し方に合わせることから、標準的な発音をする上流階級を顧客に抱える高級デパートの店員のほうが、標準的発音をする割合が高いという結果が出たと考えられるのです。一般的な傾向として、社会階級が高い人びとのほうが、標準的な発音をすることが知られています。

11.3　言葉の使い分け —— 言語選択

11.3.1　多言語使用

日本で生活していると、日常生活で日本語以外の言語を話す必要が生じることはあまりないでしょう。ですが、世界に目を向けると、社会の中でいくつもの言語が使われている場合があります。日本の近隣諸国の中にも、そうした多言語使用国家があります。たとえば、シンガポールは中国系、マレー系、インド=パキスタン系などのさまざまな民族的背景をもった人びとが住む多民族国家で、英語、標準中国語、マレー語、およびタミル語が公用語に定められています。このような**多言語使用**が行なわれている国では、いくつかある候補の中から公用語が定められ、その他の言語は話をする場面や相手によって使い分けられています。例に挙げたシンガポールでは、標準中国語のほかにも広東語のような中国語の方言を母語として日常生活で使用している人たちもいます。

複数の言語がコミュニケーション手段の候補としてある場合、どの言語を使うかという判断には実用性が大いに関係します。現代では実質的に世界共通語に近い地位を占めているのは英語でしょう。しかし、それは英語が言語としてほかの言語よりもすぐれているという科学的な根拠があるからではありません。言語学的には、言語間に優劣があるとは考えないのです。話し手にとって自分が初めて覚えた言語、つまり母語は大切な言語です。ですが、その言語を話す人の数が少なかったり、限られた地域にしかいなかったりすると、コミュニケーション手段としては実用性があまり高くありません。一方、現代社会における英語のように、話し手の数が多く、また学問やビジネスなどのさまざまな分野で使われている言語は、コミュニケーション手段としての有用性が高くなります。

こうした優勢な言語に圧倒されて、少数民族の言語は劣勢になりがちです。話し手の数の減少が続いて最後の話し手がいなくなると、死語となる場合もあります。北米先住民の言語の多くは、このようにして死語となりました。世界では、言語の多様性を維持するために、少数言語を学校教育で教えるなどの保護政策も行なわれています。

11.3.2　二言語使用

2 つの言語が使えることを**二言語使用** (bilingualism) といいます。バイリンガル（二言語使用者）が、それぞれの言語のモノリンガル（単一言語使用者）と同じレベルで両方の言語を使いこなすことは、なかなかありません。たいがいは、一方の言語能力が高い場合や、特定の領域に限って一方の言語を使用できる場合が多いと思われます。このような個人レベルでの二言語使用は、個人的二言語使用といいます。それに対して、国や地域のレベルで行なわれる二言語使用は、社会的二言語使用と呼びます。社会的二言語使用が行なわれている地域の例として、カナダ東部のケベック州が挙げられます。17 世紀初めにフランス系移民が入植したため、ケベック州ではフランス語と英語が日常的に使われています。社会言語学では、このような社会的二言語使用と個人的二言語使用の両方を研究対象としています。

11.3.3　コード切り替え

会話の途中で、話し手が言語や変種を切り替えることを**コード切り替え** (code switching) といいます。2 つ、あるいはそれ以上の言語や変種の切り替えをしながら会話するのは、多言語使用社会ではよくみられる現象で、話し手と対話の相手の双方が複数の言語や変種を使いこなせる場合に起こります。

当初、コード切り替えは、どちらの言語も十分に話せない話し手が行なうのだと考えられていました。しかし、米国のプエルトリコ系移民のコミュニティでは、英語とスペイン語の両方が流暢に話せる話し手ほど、2 つの言語を会話の途中で切り替えながら使用する傾向があり、それは、米国社会とプエルトリコ系コミュニティの両方に帰属意識があることの表明なのだという調査結果が発表されたため、それまでの見方が覆りました。

切り替えの動機には、いくつかあるといわれていますが、主なものには、会話の相手に合わせて切り替える場合、話題の変化に合わせて切り替える場合、場面や状況に合わせて切り替える場合があります。

多言語使用社会では、使用言語は会話をする相手と話しやすい言語に切り替えられます。この場合、それまで使っていた言語を使えない人が話の輪に加わった時点で、全員が使える言語に切り替えて会話が続くこともあります。

また、話題によって、話しやすいほうの言語に切り替えることもあります。たとえば、海外駐在中の日本人家庭で、現地校に通っている子どもが帰宅後に学校の宿題についてきょうだいに相談する場合、ふだんは日本語で話していても、あえて学校で使用している言語で相談するかもしれません。現地語で出された宿題について、いちいち日本語に訳しながら話すよりは、現地語のままで話をするほうが楽だからです。

さらに、単一言語使用社会においても、相手との親しさの度合いや、相手と自分の社会的立場の差に応じて、言葉の改まり度を切り替えることがあります。たとえば、日本の学校での朝の挨拶を考えてみましょう。生徒どうしでは「おはよう」と気軽な感じで挨拶するのに対し、教師に対して生徒は「おはようございます」と丁寧度の高い挨拶をします。これは、話し手が相手と自分との社会的立場の差を考慮して言葉づかいを変えている例ですが、コード切り替えの一つとみなすことができます。

11.3.4　ダイグロシア

ダイグロシア（diglossia）とは、ある言語共同体において2つないしはそれ以上の言語変種が、「高い変種（high variety; H変種）」と「低い変種（low variety; L変種）」に区別され、場面や状況に応じて使い分けられることです。米国の社会言語学者ファーガソン（Charles A. Ferguson）が初めてこの用語を導入しました。改まった場での使用や格式の高い用途には威信のあるH変種が用いられるのに対し、くだけた雰囲気の場での使用や日常的な用途にはL変種が使われます。たとえば、アラビア語圏の多くの地域では、正則アラビア語がH変種として用いられ、方言差のある各地の口語アラビア語はL変種として用いられています。ファーガソンは、H変種が用いられる場面の例として、モスクでの説教、議会演説、大学の講義、ニュース報道、純文学作品等を挙げています。一方、L変種が使われる場面として、家族や友人との会話、ラジオドラマ、大衆文学などを例に挙げています。

また、スイスのドイツ語圏では標準ドイツ語がH変種、地域方言であるスイス・ドイツ語がＬ変種とみなされています。Ｈ変種である標準ドイツ語は主に学校教育で教えられ、Ｌ変種であるスイス・ドイツ語は家族間の日常会話などで習得されますが、両者は語彙や発音の面で異なっています。

日本語の場合も、地域方言は家族や友だちとの会話などのくだけた場面で使われるＬ変種で、標準語はＨ変種だとみなされることがあります。しかし、これは厳密にはダイグロシアではありません。それは、Ｈ変種とＬ変種を用いる場面や状況が厳然と分かれていないからです。ダイグロシアが行なわれている社会では、Ｈ変種を用いるべき場でＬ変種が用いられることはなく、両者が使用される領域が区別されています。

問題

1. 東海地方や近畿地方を中心に使われている「えらい」には「疲れる」という意味があって、「えらそうだね」と言うと、「(疲れて)つらそうだね」という意味になるのだそうです。このように、語形は標準語と同じでも、異なる意味をもつために、標準語話者にとっては意味を誤解してしまいそうな地域方言があり、「隠れた方言」と呼ばれています(石黒 2013)。「隠れた方言」の例をほかにも探してみてください。

2. 「やばい」は、2008年に刊行された『広辞苑』第六版には「不都合である。危険である」という意味しか掲載されていません。ところが、この語は、近年の若者言葉では「最高である」「すごくいい」というような、よい意味でも使われています。同じように、若者たちによって従来の意味とは異なる意味で使われるようになった言葉の例を探してみてください。

読書案内

石黒圭（2013）『日本語は「空気」が決める ── 社会言語学入門』（光文社新書）光文社.

井上逸兵（編）（2017）『社会言語学』（朝倉日英対照言語学シリーズ［発展編］1）朝倉書店.

井上史雄・木部暢子（編著）（2016）『はじめて学ぶ方言学 ── ことばの多様性をとらえる28章』ミネルヴァ書房.

木部暢子・竹田晃子・田中ゆかり・日高水穂・三井はるみ（編著）（2013）『方言学入門』三省堂.

窪薗晴夫（2017）『通じない日本語 ── 世代差・地域差からみる言葉の不思議』（平凡社新書）平凡社.

田中春美・田中幸子（編著）（2015）『よくわかる社会言語学』（やわらかアカデミズム・〈わかる〉シリーズ）ミネルヴァ書房.

日比谷潤子（編著）（2012）『はじめて学ぶ社会言語学 ── ことばのバリエーションを考える14章』ミネルヴァ書房.

引用文献

石黒圭（2013）『日本語は「空気」が決める ── 社会言語学入門』pp. 68-70,（光文社新書）光文社.

金水敏（2003）『ヴァーチャル日本語 ── 役割語の謎』（もっと知りたい！日本語）岩波書店.

杉戸清樹（1992）「言語行動」『社会言語学』pp. 29-47，桜楓社.

田中春美・田中幸子（編著）（2015）『よくわかる社会言語学』p. 43,（やわらかアカデミズム・〈わかる〉シリーズ）ミネルヴァ書房.

田中ゆかり（2011）『「方言コスプレ」の時代 ── ニセ関西弁から龍馬語まで』岩波書店.

半沢康（2003）「現代の方言」『ガイドブック方言研究』pp. 201-225，ひつじ書房.

Ferguson, Charles A.（1959）“Diglossia.” *Word*, 15, pp. 325-340.

Labov, William（1966）*The Social Stratification of English in New York City*. Washington, D.C.: Center for Applied Linguistics.

第 12 章 言葉と変化（社会言語学 2）

この章で学ぶキーワード

変異理論、言語接触、ピジン、クレオール、公用語、言語政策、言語計画

12.1　言語変化

第 11 章の 11.1 で紹介した、ラボフが 1960 年代にニューヨーク市で行なった調査は、話し手の社会階級によって母音の直後の /r/ の発音にどのような変異がみられるかを調べたものでした。ラボフはこの変異を観察することで、言語変化が社会の中でどのように進行しているのかをとらえようとしました。このように変異の実態を記述し、その背後にある規則性を解明しようとするのが、**変異理論**（variation theory）です。

このラボフの研究の背景には、アメリカ英語の発展の歴史があります。アメリカ英語は、もともと英国南部で使用されていた標準英語が 17～18 世紀に米国に渡って独自の変化をしたと考えられていました。しかし、その後の調査で、アメリカ英語の方言にみられる違いの大半は、初期の植民者たちの出身地域の違いによってもたらされたことがわかったのです。米国のニューイングランド東部には、アイルランドからの移民が入ってくるまで、英国イングランド南東部出身の人たちが多く住んでいました。彼らが話す英語は、イギリス英語の標準発音とされている容認発音（Received Pronunciation; RP）に最も近いものでした。RP では母音の直後の r は発音しません。こうしてボストンやニューヨークなどの米国東部の都市では、母音の直後の /r/ を発音しない方言が定着したのです。

この方言がこのように分布したのには、文化的な理由もありました。ボストンやニューヨークのような沿岸部の主要な港町に住んでいたエリート層は、英

国との交易を通して、英国イングランドで威信形とされた母音の直後の /r/ を発音しない方言と接触を保つことができました。この威信形は、英国から大西洋を渡って、米国ニューイングランド東部の港町に伝わり、そこから周辺地域に広まって、やがて下層階級にも浸透していったのです。

ところが、第二次世界大戦を境に、米国では母音の直後の /r/ を発音する方言がそれまでの威信形に取って代わります。この言語変化は、社会の上層部から広まっていきました。そのことを裏付けるかのように、ラボフが 1960 年代にニューヨークで行なった実験で、高級デパートの店員が母音の直後の /r/ を最もよく発音しているという結果が出ています。高級デパートの顧客は、社会の上層部である富裕層で、彼らはその時代の威信形で発音していたと考えられます。また、店員は顧客に合わせた発音を心がけることから、店員もその時代の威信形を使っていたと考えられるのです。

次に、日本語の発音にみられる変異について紹介します。日本語を対象とした研究には、話し手の年代別にガ行子音の発音の変異を観察したものがあります。従来、標準語では、語の先頭にあるガ行子音は [g] で、語の中間にあるガ行子音は [ŋ] で発音していました。たとえば、「学校(がっこう)」では、語頭の「が」の子音は [g] と発音されるのに対し、「科学(かがく)」では、語中の「が」の子音は「ŋ」で発音されます。ところが、この区別はだんだんされなくなって、現在は語中でも [g] で発音するのが一般的になっています。

1986 年に東京都文京区で行なわれた調査では、住民票から無作為に抽出された協力者宅を調査者が 1 軒ずつ訪問し、調査者と協力者との間で交わされた自然な会話を録音しました。そして、録音された語りの中に出てくるガ行子音が [g] で発音されているか、[ŋ] で発音されているかを判別して、語中のガ行子音が [g] で発音されている率を調べました。その結果、若い協力者ほど、語中のガ行子音を [g] で発音する率が高いことが判明しました。1960 年代後半から 70 年代初めにかけて生まれた協力者の中には、語中のガ行子音をすべて [g] で発音している人もいたのです(日比谷 2012)。

ちなみに、1941 年に中学生 70 名を対象に行なわれた調査では、語中のガ行子音を [ŋ] で発音した生徒は、既に全体の 30% にすぎなかったことが報告されています(金田一 1967)。そして、第二次世界大戦後、このガ行子音が [g] で発音される傾向がさらに進んだことを、数々の調査結果が示しています。

このように、言語は常に変化していますが、その変化は発音以外の面にも及びます。とりわけ変化がみられるのは語彙です。たとえば、第 11 章で取り上げた「若者言葉」でも新しい単語がどんどん生まれて、そしてまたすぐに使われなくなっていきます。皆さんもそうした例を思い浮かべることができるのではないでしょうか。

12.2　言語接触

ある言語を話す人たちが、別の言語を話す人たちと出会ったとき、コミュニケーションをとるために双方の言語の要素を取り入れた混成言語がつくられることがあります。そのような言語を**ピジン**（pidgin）と呼びます。ただし、これは当座の意思疎通のための言語なので、語彙の数は少なく、動詞に時制の変化がないなど、構造がシンプルです。歴史的にみると、ピジンは異なる言語を話す人どうしの交易の場などで使われてきました。しかし、必要がなくなれば使われなくなり、やがて消えていきます。

ところが、なかには主要なコミュニケーション手段として盛んに使われるようになり、それを母語とする世代が生まれることもあります。このような母語化したピジンは**クレオール**（creole）と呼ばれます。クレオールは、コミュニケーション手段として十分に機能できるように、語彙が豊富で、文法も精緻です。代表例はパプアニューギニアで使われているトク・ピシン（Tok Pisin）ですが、もともとはプランテーションで働くためにさまざまな場所から連れてこられた労働者どうしが、コミュニケーションをとるために生まれたピジンだったといわれています。パプアニューギニアは多様な民族で構成される国家で、非常にたくさんの言語が使われているので、人びとが意思疎通をはかるための共通語としてトク・ピシンは便利でした。今ではトク・ピシンはパプアニューギニアの公用語となっています。ちなみに、トク・ピシンは先住民の言語と英語との接触によって生まれたことから、語彙の多くが英語に由来しています。ですから、たとえば mi（わたし）、bikos（なぜなら）のように、元の英単語が容易に推測できる語があるのです。

また、アフリカ系アメリカ人が、仲間内での日常会話で使う「アフリカ系アメリカ英語」（African American Vernacular English; AAVE）は、クレオールにみられる言語的特徴があることで知られています。その特徴は、米国に奴隷として連れてこられる前に彼らが暮らしていた西アフリカのさまざまな言語にみられる特徴と、英語の要素が混ざり合うことで生まれたのではないかと考えられています。例を挙げると、AAVE では動詞の 3 人称単数現在形の -s がありません。標準英語なら he goes ですが、AAVE では he go となります。このような文法的特徴は、英語がもとになって生まれたほかのクレオールにも同様にみられることから、AAVE の起源はクレオールだとする説もあります。一方で、AAVE の文法にはクレオールにはみられない言語的特徴もあるため、AAVE の由来はクレオール起源説だけでは説明できないとも考えられています。

12.3　言語政策と言語計画

12.3.1　国語と公用語

　国語は、国民がみずからの中心的な使用言語として認める言語で、国家が誕生する際に、国民は同じ国語を話す者どうしという意識で結束します。ただし、多くの場合、特に多民族国家の場合には、国語とは別に**公用語**（official language）が定められています。公用語は、行政のように公的な用途に使われる言語です。第 11 章で紹介したような多言語使用社会では、公用語が共通語の役割を果たします。また、1 つの言語だけを公用語として定めるとほかの言語の話し手がその国で生活していくうえで不利になる心配があるので、そうしたことのないように法律で複数の言語を公用語に定めている国家もあります。

　代表的な例はインドです。インドは亜大陸といわれるほど国土が広く、多くの人口を抱える国家です。それだけに国内で多くの言語が話され、その数は 447 言語にのぼるといわれています（Ethnologue による）。1947 年に独立した際、ヒンディー語と英語が憲法で連邦公用語に定められました。現在ではこのほかに、各州の地域語も公用語に指定されています。植民地だった国が独立する際、かつての宗主国の言語が公用語に選ばれることはよくあります。それは先にも述べたように特に多言語使用国家の場合には共通語として便利で、またどの民族の母語でもないので中立的だからです。そうした公用語は、その国の中で使われるうちに土着化して、独自の語彙や発音、文法が発達する場合があります。インドでは標準英語が公用語ですが、土着化したインド英語には、標準英語にはない発音や語彙、文法上の特徴がみられるのです。

日本の場合、国語は日本語です。また、法律で定められているわけではありませんが、日本語は事実上の公用語でもあります。ちなみに、近年は、日本のアニメや漫画をきっかけに、日本語を学習する人が世界で増えていて、そうした学習者のための日本語学習用教材が数多く開発されています。

12.3.2　言語政策と言語計画

社会で起こる言語に関する問題を解決するために、政府などの公的機関が行なう政策が**言語政策**（language policy）で、言語政策の実践が**言語計画**（language planning）です。

言語計画の第一段階は、地位計画（status planning）です。ある社会において複数の言語が使用されている場合には、その中から公用語とする言語を選定します。選ばれた言語の地位は上がりますが、選ばれなかった言語の地位は下がることになります。そのため、話し手の数が少ない言語をあえて公用語に定めることで、その地位を保全しようとする場合もあります。たとえば、アイルランドがアイルランド語を公用語に定めているのは、その例です。

次の段階はコーパス計画（corpus planning）と呼ばれます。公用語に選定した言語の語彙や文法を標準化し、書き言葉においては正書法（正式な書き方）を決めます。また、科学技術の発展によって新たにつくり出された物を指す用語が必要になった場合など、必要に応じて新しい語彙を作ることもあります。このようにして、その言語の規範を決め、標準語（standard language）を確立していくのですが、標準語が使いつづけられるためには、新しい語を作ったり、規範を見直したりする作業を継続的に行なわなければなりません。

さらに、公用語が普及して、国民が皆、その言語を使えるようになるには、普及計画が必要です。これを習得計画（acquisition planning）と呼びます。習得計画には政府主導型と地域共同体主導型があります。公用語を義務教育によって国民に普及させるのは、政府主導型の習得計画の例です。一方、地域共同体主導型の習得計画の例には、ニュージーランドで、先住民の言語であるマオリ語を復権させるために行なわれた実践があります。子どもたちにマオリ語を教える手段として、マオリ語で子どもたちを教育する幼稚園がつくられたのですが、Kohanga Reo（マオリ語で「言語を育てる巣」の意）と名づけられたその幼稚園は地域の共同体が運営したのです。また、多くのコミュニティで成人を対象としたマオリ語のクラスが開かれました。こうした努力が実り、一時は衰退の一途をたどったマオリ語が、1987 年のマオリ言語法 (Maori Language Act) によって、ニュージーランドの公用語に制定されたのです。

12.3.3　さまざまな国の言語政策

ニュージーランドでは英語とマオリ語が公用語とされています。ただし、マオリ語が公用語として認められるまでには、長い時間がかかりました。ニュージーランドは 1840 年のワイタンギ条約によって、英国の支配下に置かれました。その後、マオリの人びとに対する同化政策が行なわれ、学校教育においてもマオリ語の使用が禁じられたために、マオリ語は衰退していきました。しかし、前節でも述べたように 1980 年代後半から高まりをみせた先住民のマオリ文化を守ろうとする国内機運の中で、マオリ語も公用語となったのです。さらに、ニュージーランドは、2006 年成立のニュージーランド手話言語法で、ニュージーランド手話を第 3 の公用語に定めています。このように、使用者の少ない言語を公用語にすることで、使用者の権利を法律で保護しようとしているのです。

ニュージーランドをはじめ世界中に植民地を開拓した英国は、植民地で本国の規範から逸脱した英語が使われていても、比較的寛容でした。これは次に説明するフランスのとった態度と対照的です。

フランス語は 17 世紀以来、第一次世界大戦以降に英語に取って代わられるまで、国際通商や外交の場で用いられる言語でした。そして、今でも国際語として高い地位を保っています。フランスは国内でフランス語の純粋性を保つために、17 世紀に言語を統制する機関としてアカデミー・フランセーズを設立しました。この機関は今日にいたるまでフランス語の純化と洗練に努めています。一方、英国も世界各地にブリティッシュ・カウンシルを設けていますが、ブリティッシュ・カウンシルは英語という言語を純粋に保つための機関ではありません。英国文化を広く理解してもらうための文化交流と、英語教育の機会と場所を提供することを目的として活動しているのです。

米国は英語を国家の公用語として法的に定めていません。しかし、英語を母語としない人や英語がほとんどわからない人がかなりの割合で住んでいる地域もあるため、そのような地域を含む州では、英語を公用語と定める動きがあったり、また国家単位でも公用語を英語とするための法案が提出されたりしたことがあります。こうした背景には、法律で定めないと「実質的に英語が公用語」という状況が崩壊しかねないという国民の不安があるといわれています。

英語を第二言語として使う国が増えていくなかで、英語は世界各地で独自性をもった変種を発達させてきました。それらは時に**「世界の英語」**(World Englishes) と呼ばれます(田中・田中 2015)。「世界の英語」には、発音や語彙、文法が標準英語とは異なる特徴のものもあります。しかし、標準英語とは異なっていたとしても、間違っているのではありません。そのような英語の変種は、新たな変種として存在が認められ、その機能や形態にみられる特徴が研究されています。

12.3.4　日本の言語政策

日本の言語政策は、戦後、かなづかいや当用漢字の制定、常用漢字の制定と改訂など、文字・表記面を中心に実施されてきました。現在は文化審議会国語分科会が、国語の改善およびその普及を進めています。

1948 年に設立された国立国語研究所は、日本人の言語生活を調査研究するほかに、外国人に対する日本語教育に関する調査や研究も重視しています。たとえば、学習者コーパスに基づく第二言語としての日本語の習得研究や、基本動詞ハンドブックの作成を行なっています。

近年、日本に定住する外国人の数が増えてきました。そうした人たちに簡単な言葉でわかりやすく情報を伝えるために、各自治体は行政に関する情報提供を「やさしい日本語」で行なう努力を始めています(コラム 4 参照)。

12.4　言語計画による言語変化

言語計画は、意図的に起こされた言語変化とみなすこともできます。たとえば、1960 年代ごろから高まりをみせた男女同権運動とともに、男性を想起させる言葉の代わりに、性差別を助長しない用語 (non-sexist words) を普及させる努力がなされてきました。近年、英語では、-man という語尾から男性を思い浮かべやすい chairman (議長) に替えて、男女どちらにも使える (the) chair や chairperson が使われるようになっています。このような言語計画は、人為的に起こされた言語変化の例です。

言語計画のなかでも、たとえば国家における公用語の制定と普及といったような大規模なものは、通常、言語政策のもとに国家レベルで進められます。しかし、新しく制定された公用語が受け入れられるかどうかには複雑な要因がかかわっています。言語は個々の使用者のアイデンティティや帰属意識にも関係しているからです。

問題

1. 自分の言葉づかいを振り返って、最近まで使っていたのに、今は使わなくなってしまった単語があるかどうか考えてみましょう。またなぜ使わなくなったのか、理由も考えてください。

2. 12.4 で説明した、性差が言語的に表示されないようにするための配慮を「言語のジェンダーフリー化」といいます。たとえば、近年、日本語で「看護婦」でなく「看護師」というようになったのは一例です。ほかにも例を挙げてみましょう。

⇒

⇒

⇒

⇒

⇒

読書案内

トラッドギル，P.（著），土田滋（訳）（1975）『言語と社会』（岩波新書）岩波書店.

日比谷潤子（編著）（2012）『はじめて学ぶ社会言語学 ── ことばのバリエーションを考える 14 章』ミネルヴァ書房.

ロメイン，スザーン（著），土田滋・高橋留美（訳）（1997）『社会のなかの言語 ── 現代社会言語学入門』三省堂.

引用文献

金田一春彦（1967）「ガ行鼻音論」『日本語音韻の研究』pp. 168–197，東京堂出版.

田中晴美・田中幸子（編著）（2015）『よくわかる社会言語学』p. 93，（やわらかアカデミズム・〈わかる〉シリーズ）ミネルヴァ書房.

日比谷潤子（編著）（2012）『はじめて学ぶ社会言語学 ── ことばのバリエーションを考える 14 章』pp. 146–48，ミネルヴァ書房.

国立国語研究所「基本動詞ハンドブック」.
https://verbhandbook.ninjal.ac.jp/ （2024 年 3 月 11 日確認）

Ethnologue: Languages of the World “India”
https://www.ethnologue.com/country/17-92 （2021 年 5 月 4 日確認）

コラム 4 言語接触

第 12 章では、言語接触の結果として生じるピジンと、そのピジンが母語化したクレオールについて説明しました。このコラムでは、ポルトガル語と日本語が接触することによって生まれた「コロニア語」という接触言語について、まず、お話しします。

コロニア語はブラジルの日系社会で話されています。コロニアというのは英語のコロニー（colony）にあたる語で、日系社会のことを指しています。このコロニア語の特徴は、ブラジルの公用語であるポルトガル語からたくさんの語彙を借用していることです（中東 2018）。以下の例は、1990 年代初頭にブラジルのサンパウロ市にある東洋街（日本人街）で、現地に住み始めたばかりの日本人が戦後移民の日本人に日本語で道を尋ねたときに、返ってきたコロニア語の答えです（深沢 2017）。

「そこのエスキーナでオニブスをペガしてシンクエンタセンターボ払って、プラッサ・ダ・レプブリカのポントでおりればいい」

（訳：「そこの角でバスに乗って、50 センターボを払って、レプブリカ広場のバス停でおりればいい」）

この答えは、文法は日本語ですが、カタカナで書かれている語彙がポルトガル語からの借用語なので、現地に着いたばかりでポルトガル語がまだわからなかった質問者には、何を言っているのか理解できず、頭を抱えてしまったということでした。

コロニア語は日系社会の中で広く用いられていましたが、今では消滅の危機に瀕しています。世代交代が進み、現地社会に溶け込んだ若い世代が育ってくることによって、家庭内の使用言語はポルトガル語が中心となったためです。2003 年にサンパウロ州の農村地域で行なわれた言語生活調査では、日系 3 世が話す言語が日本語からポルトガル語中心へと切り替わっていることが明らかになっています(中東 2018)。ここに母語を若い世代に受け継いでいくことのむずかしさをみることができます。

かつてはコーヒー農園などで働く労働力として多くの日系移民を受け入れたブラジルですが、1990 年代以降はブラジルから多くの日系人が日本に働きに行くという「デカセギブーム」が到来します。これは 1990 年に日本で「出入国管理及び難民認定法」が改正され、日系 3 世までは仕事に就くのに制限のない在留資格が与えられるようになったことによるものです。多くの日系ブラジル人が東海地方や関東・甲信地域に住んで自動車工場で働くなど、製造業に従事しました。2008 年秋のリーマン・ショックによる経済不況のために多くが失業し、そうした出稼ぎのブラジル人の数は減りましたが、それでも、現在、日本には外国から来た人たちがたくさん住んでいます。法務省の在留外国人統計の速報値によると、2020 年 6 月末の在留外国人数は 288 万 5,904 人で、前年の 6 月末に比べ 5 万 6,488 人(2.0%)増加となり過去最高となっています。

こうした日本に暮らす在留外国人や、訪日外国人旅行者に情報を伝える際、日本語が十分に使えなくてもわかるように「やさしい日本語」を使おうという動きがあります。たとえば、外国人が多く住む横浜市のホームページでは、日本語を母語としない人たちに向けて、英語、中国語(簡体字・繁体字)、ハングル、ポルトガル語、スペイン語、フランス語でお知らせを発信しています。さらに、こうした言語を母語としない外国籍の住民に向けて、「やさしい日本語」で防災に関する注意事項を伝える取組みも行なっています。まず、ホームページのタイトルは「災害」という漢字が読めなくてもわかるように、「災害(さいがい)について」と平仮名でも表記されています。また、説明文でも、「日本《にほん》は地震《じしん》が多《おお》い国《くに》です。横浜市《よこはまし》では、大《おお》きな地震《じしん》が起《お》こりやすいと言《い》われています。地震《じしん》はいつ起《お》こるかわかりません。安全《あんぜん》のための準備《じゅんび》をしておきましょう」のように漢字にはルビが振られて読みやすくなっています。地震のあとで大規模な火災が起きる可能性があることを知らせるために、家々が炎に包まれているイラストを添えるという配慮もされています。このように「やさしい日本語」は、お互いの母語が異なる外国人どうしや、日本語力が十分ではない外国人と日本人との間での共通語として用いることができるように、工夫されているのです。

読書案内

庵功雄(2016)『やさしい日本語 ── 多文化共生社会へ』(岩波新書) 岩波書店.
庵功雄・日高水穂・前田直子・山田敏弘・大和シゲミ(2020)『やさしい日本語のしくみ ── 日本語学の基本(改訂版)』くろしお出版.
ワインライヒ, U. (著), 神鳥武彦(訳) (1976)『言語間の接触 ── その事態と問題点』岩波書店.
Lehiste, Ilse (1988) *Lectures on Language Contact*. Cambridge, MA: MIT Press.
Matras, Yaron (2009) *Language Contact*. Cambridge: Cambridge University Press.
Winford, Donald (2003) *An Introduction to Contact Linguistics*. Oxford: Blackwell.

引用文献

中東靖恵(2018)「ブラジル日系移民社会における「コロニア語」の位置」岡山大学文学部紀要 第70巻.
深沢正雪「南米の日本語版クレオール語「コロニア語」・「海外」という言葉の島国感覚―その1」『ディスカバー・ニッケイ』2017年1月4日発行ジャーナル. http://www.discovernikkei.org/ja/journal/2017/1/4/colonia-go-1/ (2021年4月27日確認)
法務省 出入国在留管理庁「在留外国人統計(旧登録外国人統計)統計表」 http://www.moj.go.jp/isa/policies/statistics/toukei_ichiran_touroku.html (2021年4月14日確認)
City of Yokohama「災害(さいがい)について」 https://www.city.yokohama.lg.jp/lang/residents/ej/mergencies/saigaiwoshiru.html (2021年4月14日確認)

第 13 章　文理解（心理言語学 1）

この章で学ぶキーワード

構文解析・パージング、あいまい文、再解析、眼球運動、袋小路文、袋小路モデル、制約依存モデル、読み時間計測

13. 1　文を理解するということは何を意味するのか

わたしたちは文をどのように理解し、処理しているのでしょうか？

それが日本語の場合でも英語の場合でも、わたしたちが文を読む際には、「何が名詞で、動詞で、どのようなつながりとなって…」といった分析を無意識のうちにしているはずです。もしそういうことがわかっていなければ、文を理解することはできません。しかし、特に母語ではその理解のプロセスが非常に速いので、わたしたちは意識すらしていないのです。

わたしたちが高度に言葉を駆使できている証拠として、下記の例を挙げましょう。これはインターネットで話題になったこともある例です。この文章の単語はスペルが間違っていますが、読もうと思えば読める文です。何が書かれているかまず読んでみてください。なぜ間違った単語なのに、この文を理解できるのでしょうか？

Aoccdrnig to a rscheearch at an Elingsh uinervtisy, it deosn’t mttaer in waht oredr the ltteers in a wrod are, the olny iprmoetnt tihng is taht frist and lsat ltteer is at the rghit pclae. The rset can be a toatl mses and you can sitll raed it wouthit porbelm. Tihs is bcuseae we do not raed ervey lteter by it slef but the wrod as a wlohe. ceehiro.

（絵文禄ことのは「語中がデタラメでも英文は読める」より）

これは、単語の最初と最後の文字さえ正しい位置にあれば、残りの文字の並びがめちゃくちゃでもわたしたちは文を読み、理解することができてしまう、という例です。わたしたちには先を推測する能力があるとでもいえばよいでしょうか。それほど人が文を理解する能力はすぐれているということです。

しかし、人がどのように文を理解しているかを研究するためには、そうした無意識に行なっている行動を分析していかなくてはいけません。そうすることで、人の文理解のプロセスがわかるのです。この解析を**構文解析**または**パージング**(parsing)といいます。

13.2　文を理解するときのしくみ ―― 構文解析

ここからは、この構文解析がうまくいかなかった例をいくつか取り上げ、人の文理解のプロセスを調べていきます。まず、次の文を読んでみてください。

(1) The old man jumped quickly into the boat.　　(ハーレイ 2018)

この文の構文解析をしていきましょう。構文解析とは、以下のようにこの文を8つの語に分けて、各語が何詞(または何句)なのかを解析していくものです。

The 冠詞　old 形容詞　man 名詞　jumped 動詞　quickly 副詞
into 前置詞　the 冠詞　boat 名詞

通常わたしたちは、日本語を理解する際に毎回このような解析をしなくても文を理解できます。しかし全く知らない言語やまだ勉強を始めたての言語では、ひとつひとつこうした構造を理解し、覚えていかなければ、その言葉を理解することはできません。そのような意味で、上記のような解析を瞬時に無意識のうちに進められることは、ほかの動物にはない人間の「特殊な」能力といってもよいでしょう。このように言語を理解する能力を**人の文処理メカニズム**(human sentence processing mechanism)と呼んでいます。

13.3　文の理解ができないときの具体例 —— あいまい文と袋小路文

ここまでの例ではそこまでむずかしい解析は必要ありませんでした。しかし下記のような文となると、構文解析はとてもむずかしくなります。

(2) The old man the boats.　　(ハーレイ 2018)

(2)の文の構文解析のあと、日本語に訳そうとして、おかしいと感じた人が多いのではないでしょうか？ それはなぜでしょう？

多くの人が man を動詞だとは思いません。普通は the old man というフレーズで理解するでしょう。しかし、man は動詞で「～に人を配置する」という意味があります。よって「お年寄りがボートに人を配置する (The old (people) man the boat)」という意味になるのです。

このように、複数の構文にとれるかもしれない文や複数の意味になりうる文のことを**あいまい文**(ambiguity sentence)といいます。

さらに次の文を読んでください。

(3) I saw the horse flying to Kobe.

この文は 2 つの意味に解釈できます。その 2 つの意味で日本語に訳してみてください。なぜそのようなあいまいな意味が存在してしまうのでしょうか？

解答

[1 つ目の解釈]

(3a) When I was flying to Kobe, I saw the horse.
(飛行機で神戸に向かっている時、馬を見た。)

[2 つ目の解釈]

(3b) There I am standing there and all of a sudden I looked up and saw the horse flying overhead on their way to Kobe.
(そこに立って空を見上げると、突然神戸へ向かって飛んでいる馬が見えた。)

もちろんこの問いに正解はありません。どちらの解釈も正解です。しかし意味を考えて、もし「(3b)はありえないでしょう」と思ったら、それも正直な答えの一つなのです。(3)も2通りの意味で文を読み取ることができるため、あいまい文といわれています。

さらにもう一つの文を読んでください。

(4) Visiting grandparents can be boring. (ハーレイ 2018)

これも2通りの意味がある文に解釈できます。2通りの意味となるように、日本語に訳してみてください。また、なぜそのように2通りの意味に理解できるのか考えてみましょう。

解答

[1つ目の解釈]

(4a) Going to visit them can be boring.
祖父母を訪ねることがつまらない(毎年この時期には祖父母の家に行くのだが、祖父母を訪ねることがつまらない)
(Visitingを動名詞としてとらえる)

[2つ目の解釈]

(4b) It can be boring when they come to visit us.
(わたしたちを)訪ねてくる祖父母がつまらない(毎年同じことしか話さないので、(わたしたちを)訪ねてくる祖父母がつまらない)
(Visitingがgrandparentsにかかる形容詞ととらえる)

これも(3)と同じで、二つとも正しい解釈で、どちらも間違っていません。結局は、文脈に合った解釈を探しながら、理解していくしか方法はないのです。

13.4　文が理解ができないときに起こること —— 再解析

ここまでは単純なあいまい文をみるだけでしたが、一時的なあいまい文(temporary ambiguity)というものもあります。次の文はどういう意味になるでしょうか？

(5) The horse raced past the barn fell. (Bever 1970)

意味としてよくわからないなと思った箇所はどこでしょうか？ これは**再解析**(reanalysis)を必要とする典型的な例文です。

解答

There is a horse and it raced past the barn. と考えるのはよい。しかし次に fell とくると混乱するので、fell をどのようにして文に埋め込むかを考えて文を再解析する。 すると There was a horse that was raced past the barn and it fell. とわかる。そして実際の文は The horse that was raced past the barn fell. (家畜小屋を通り過ぎて駆け抜けた馬が倒れた)となることがわかる。

この文の意味がすぐわかる人も、また、理解にそれほど時間がかからない人もいると思います。ですが、もし今回理解できなかった人がいたとしたら、それは関係詞 that が省略されていたために混乱してしまったのでしょう。 このように、一時的にあいまい文の処理に困り、再解析が必要となる文を**袋小路文**(garden-path sentence)と呼びます。

人によっては「そんな複雑で変な文を話すことはない！」と思うかもしれません。そう思う気持ちはよくわかりますが、実際わたしたちはさまざまな状況でこのような文を話しているのです。たとえば次の文をみてみましょう。

(6) 志帆が食器を買った机にきれいに飾った。

一度読んだだけで理解できたでしょうか？ できなかった人が多かったと思います。志帆が食器を買った机、まで読んで「あれ？」と思ったのではないでしょうか。だれが買った机かは別にして、文を以下のように分解して、食器を机に飾ったのは志帆だとわかれば理解できます。

(6) [志帆が]名詞句(NP) [食器を]名詞句 [買った机に]名詞句 [きれいに]副詞(Adv) [飾った]動詞(V)

それでは、結局わたしたちはこのようなあいまい文をどのように理解しているのでしょうか？

13.5　文を理解する具体的な方法論 —— 袋小路モデルと制約依存モデル

このような再解析を必要とするあいまい文を理解するために、実際の脳の中ではどういった「方法」を使用しているのでしょうか。それを仮定したのが次の2つの理論です。

13.5.1　袋小路モデル(garden-path model)

いちばんありうると思われる統語構造で読んで、間違っているとわかって修正する、というモデルです。まず、文を読むために文法構造をひとつ組み立てます(例: ある単語を動詞としてみる など)。正しければそのまま理解し、間違っていたら再解析(例: 動詞としてみていた単語を、名詞に修飾する形容詞としてみる)を行ないます。つまり、2段階のモデルがあるということになります。

13.5.2　制約依存モデル(constraint-based model)

可能性のある構造すべてを想定し頭にいれながら読むというモデルです。たくさんの情報を同時に使用し(例: ある単語を動詞としても、形容詞としてもみながら読む)、文法、意味といったさまざまな情報を取り入れて、最終的に文を理解していきます (Boland et al. 1990, Taraban & McClelland 1988)。これは言い方を変えると、解析が1段階であるということになります。

この2つのモデルの違いはあいまい文を読むときに明らかとなります。(3)のI saw the horse flying to Kobe. という例を思い出してみてください。袋小路モデルだと、horse flying . . . 「馬が(神戸へ向かって)飛んでいる」という意味で理解しますが、意味がおかしいと思えば読みなおして、「飛行機で神戸に向かっているとき、馬を...」と理解します。制約依存モデルの場合は、上記2つの解釈を同時に理解しつつ、最終的にどちらかに判断する、というアプローチをとるのです。

ここからは袋小路モデルのプロセスをみていきましょう。次の文を1語1語読み、理解に悩むところがあれば理由を考えてみましょう。

(7) Since Michael always jogs a kilometer and a half seems a short distance to him.

Since から始まる節の一部として a kilometer and a half(1 キロ半)をとらえようとすると、seems の主語がないことに気づきます。読みなおすことで、a kilometer and a half が主語だと理解できます(そして(7)の訳は、「いつもジョギングしているので、マイケルにとって 1 キロ半は短い距離のように思える」となります)。つまり、構造がおかしいと気づいたので読みなおした、という 2 段階のプロセスを経ていますね？

袋小路モデルを主張する例をさらにみていきましょう。Ferreira & Clifton (1986)は(8a)と(8b)の文を読むのにかかる時間に違いはないことを発見しました。

(8a) The defendant examined by the lawyer turned out to be unreliable.

(8b) The evidence examined by the lawyer turned out to be unreliable.

(Ferreira & Clifton 1986)

[訳]

(8a) 弁護士に調べられた被告人は信頼できないとわかった。

(8b) 弁護士に調べられた証拠は信頼できないとわかった。

ここで複雑だと思われるのは the defendant examined ... と、the evidence examined ... の違いです。defendant は人を表わす名詞で、主語にも目的語にもなります。しかし、evidence は無生物名詞なので、evidence examined ... となっていても「証拠が調べた」とは普通は言わないだろうと推測すると、ここで関係詞が省略され「だれかによって調べられた証拠」という構造ができるだろう、と意味的に想像できます。しかし、Ferreira & Clifton (1986)は (8a)と(8b)の文を読むのにかかる時間に違いはなかったことを発見しました。それゆえ、人はまず文法的な構造を「先に」考えて、その後 意味的要素を考慮するのだと主張しています。

それではここからはこの袋小路文の具体的なプロセスをみていきましょう。

(9a) The burglars stole all the statues in the house.

(9b) The burglars stole all the statues in the night.　(ハーレイ 2018)

たった 1 語違うだけで、意味が大きく異なることがあります。それはなぜでしょうか？

[訳]

(9a) 泥棒が家の中の銅像すべてを盗んだ

(9b) 泥棒が夜に(家かどうかは関係なく)銅像すべてを盗んだ

「家の中の銅像」となりますが、(9b)のように night とくるとそのような意味にはなりません。たった 1 つの単語を入れ替えるだけで、盗まれた銅像が家にあったものなのか、そうでないのかという大きな意味の違いが出るのが(9)の例の特徴です。この例によって、わたしたちが文を理解するうえで非常に重要なプロセスを経ていることがわかります。そのプロセスは 2 つあり、それらを最小付加の法則(minimal attachment principle)と遅い閉鎖法則(late closure principle)といいます。

最小付加の法則とは、新しい句をいちばん近くの結びつけることが可能な構造につなげて文を理解する方法です。それに対して、遅い閉鎖法則とは、新しい句を節の中に取り込んだうえで全体の構造を考慮して文の意味を決める方法です。もしこの 2 つの法則のどちらを適用するか、迷うようなことがあれば、最小付加の法則を優先するという法則が存在します。では、具体的にみていきましょう。

(9)の例を思い出しましょう。この例文を処理する際に、The burglars が名詞句、stole が動詞ときて、次の all the statues in the ... とくると、ここではまだ次の名詞を読むまでどのように文を解釈したらよいかがわかりません。house か night という 2 つのどちらの単語がくるかで、この文の理解が全く異なることになるからです。

house の構造

In the house ならば、all the statues と組み合わせることができるので、「家にあるすべての銅像」という構造で理解できます。つまり、all the statues in the house という名詞句(NP)になります。

night の構造

in the night の場合、「夜に銅像を盗んだ」となるので、動詞句(VP)の中に含まれます(stole in the night という表現が成り立つので、動詞句の一部になります)。

ここで考えてほしいのが、この 2 つのうち、どちらがシンプルな構造かということです。house の構造よりも、night の構造は動詞句の中にすべて含まれているので、シンプルな構造になっています(図 1 参照)。つまり、最初はそのシンプルなほうの構造で文を理解しようとして、失敗したら複雑なほうの構造で読もうとします。これは最小付加の法則に合った考え方です。

図 1　house と night の構造

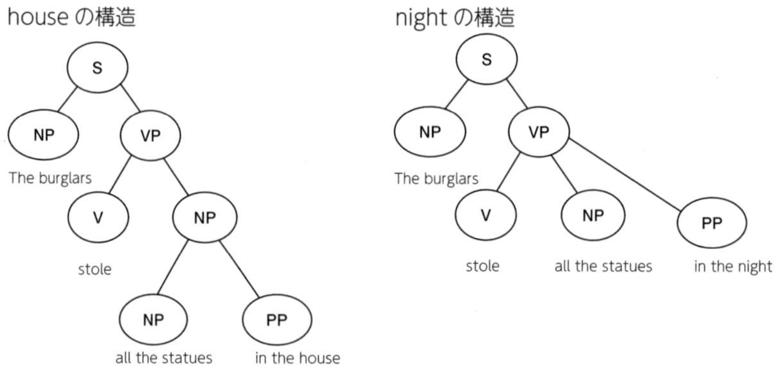

S= 主語　NP =名詞句　VP =動詞句　V =動詞　PP= 前置詞句

その最小付加の法則を利用した文の理解の具体例となっているのが(10a)と(10b)です。

(10a) Since Michael always jogs a kilometer and a half this seems a short distance to him.

(10b) Since Michael always jogs a kilometer and a half seems a short distance to him. (Frazier & Rayner 1982)

(10b)の文の理解がむずかしいといわれていますが、それはなぜでしょうか？ Frazier & Rayner (1982) によると、(10a) には this があるので、そこが since から始まる節との「切れ目」だとわかります。しかし2つ目の(10b)には this がないので文の理解がむずかしくなります。これで「とにかく文をつなげていき、理解ができなかったら再解析をし直す」という、「最小付加の法則を使って、だめなら遅い閉鎖法則」を使っていることがわかります。

しかし、今までみてきたのは、ひたすら構造のみを分析していき、文を理解するというものです。ここで大きな問題となるのは、「文の意味を無視して、文を理解できるのか？」ということです。そこで作られたのが、制約依存モデルという法則です。これは、「さまざまな情報を使用して文を理解する」というもので、「文法のみならず、意味情報も使用する」ということです。制約依存モデルについて詳しくみていくことにしましょう。

(11)の例文を使って説明していきます。a、b どちらの文を読むスピードが遅いと思いますか？ それはなぜでしょうか？

(11a) The thieves stole all the paintings in the museum while the guard slept.

(11b) The thieves stole all the paintings in the night while the guard slept. (Taraban & McClelland 1988)

Taraban & McClelland (1988) は(11a)と(11b)それぞれの読み時間を測りました(ひとつひとつキーボードのキーを押して読み進めていく、という調査です。計測方法については 13.6 参照)。最小付加の法則を思い出すと、(11a)の all the paintings in the museum がむずかしい部分だと思われます。どうしてでしょうか？ 名詞句なのは all the paintings、動詞句なのは stole in the night で、動詞句のほうが構造がシンプルだからです。ですが、調査結果では

(11b)の読み時間のほうが長かったのです。これは、従来の研究結果と反します。どうしてこのような結果となったのでしょうか？

もう一度(11)の文をよく読んでみてください。Thieves, paintings, museumは、関連性のある単語で、このような単語が並んでいると、わたしたちは文の意味を予測して読んでしまう可能性があるのです。

さらに(12a)と(12b)を比較してみてください。

(12a) The teachers taught by the Berlitz method passed the test.
(12b) The children taught by the Berlitz method passed the test.
(Crain & Steedman 1985)

(12b)より(12a)の意味を理解するのがむずかしいといわれていますが、それはなぜでしょうか？ Crain & Steedman (1985)では、先生は教えるのが普通なので、(12a)を読んでもすぐには、先生がベルリッツ(英会話学校)で教わったとは思わないために、taught by とくると「?」となって読み時間が遅くなるのだと説明されています。一方、子どもは教えてもらったというのが普通だと思っているので、(12b)は自然に理解でき、読み時間が遅くなることはありません。よって、これらの計測結果からも、文法的に複雑な文かどうかは関係がなく、意味のつながりが重要であることがわかりました。これが制約依存モデルという法則です。

13.6 文を理解するためのヒントとは何か

文を理解するプロセスを調べることは想像以上にむずかしいことがわかりました。それでは、実際にどのようにしたらそのプロセスを調べることができるのか、心理言語学の実験方法を紹介します。またその実験方法から文理解のプロセスについて新しい発見があったことも説明します。

文理解を調べる方法はたくさんありますが、**読み時間計測**、**眼球運動**、**事象関連電位**(event related potentials、略 ERPs)が特に有名です。ここでは最初の 2 つについて説明します。

読み時間計測(self-pace reading task)

コンピューターのスクリーンに映し出される単語を、ボタンを押しながら読んでもらい、ボタンを押すスピードを計測します。ボタンを押すスピードが遅かった場合、何かがわからなかったり、迷ったりしたのだと想像できます。そのようにして、さまざまな文で実験して、遅くなる箇所を割り出していきます。

読み時間計測は1970年代から存在する実験方法で、コンピューターで文を作成して提示することでどこでも調べることができるので、非常に便利です。しかし、わたしたちは通常、文を読むときに一語一語ゆっくり読んでいくことはなく、いくつもの単語がつながっている文を連続して速く読んで理解しているのです。その意味で、この実験自体が不自然な読み方を強制している可能性があります。

眼球運動計測(eye movement task)

眼球運動計測とは、皆さんが文を読む際の目の動きを記録していくというものです。文が複雑だったり理解しにくかったりすると、目はそのむずかしかった箇所を見つめたり、もう一度文を読みなおしたりします。ほかの文と比較しながら、どこがむずかしかったのかを割り出すという手法です。

眼球運動計測の良い点は、文を自然に読んでもらいながら、文を理解する瞬間をリアルタイムで計測できることです。読み時間計測のように不自然な読み方をさせることがないので、文を理解している瞬間に何が起きているのかを調べることができます。そのため、多くの研究者に使用されていて、その実験結果に対する信頼性も高まっています。

この眼球運動計測によって、Tanenhaus et al. (1995)は、非常に大きな発見をしました。(13)はあいまい文ですが、どのように考えると2通りの意味で解釈できるでしょうか？

(13) Put the apple on the towel in the box.　(Tanenhaus et al. 1995)

解答

[1つ目の解釈]

(13a) There's an apple on a towel, and you should put that in the box.

（タオルの上にリンゴがあって、それを箱の中に置く）

(13b) There’s an apple somewhere else and you should put that on a towel which is in the box.

（どこかにリンゴがあって、それを箱の中にあるタオルの上に置く）

最小付加の法則によるなら、(13b)の文で解釈しようとするでしょう。なぜなら構造的にシンプルな文だからです。

(13a)	Put	the apple on the towel				in the box.
	動詞	名詞句				前置詞句
(13b)	Put	the apple	on	the	towel	in the box.
	動詞	名詞	前置詞	冠詞	名詞	前置詞句

しかし必ずしもそうではないということが、Tanenhaus たちの眼球運動の計測結果からわかったのです。この文をどう理解するかは、目の前の情報しだいで変わったのです。

図 2　眼球運動の計測

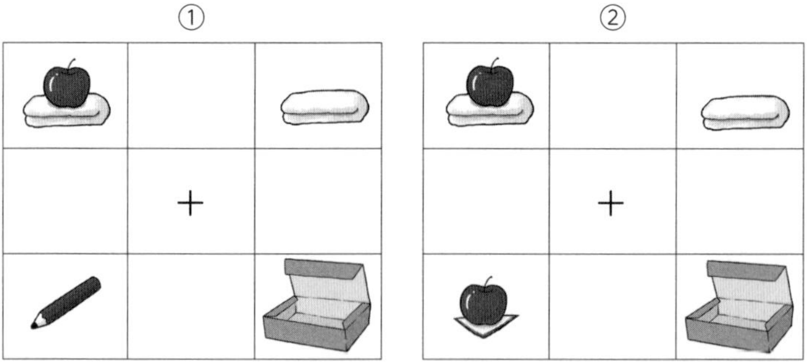

(Tanenhaus et al. 1995 をもとに作成)

Tanenhaus たちは、絵を見せながら文を聞かせると、どこを見るかという眼球運動の計測実験を行ないました。①の絵を見せたとき、被験者は文とは全く関係のない場所や、リンゴが載せられていないタオルを長く見ていました。②の絵を見せたときは、そのようなことはありませんでした。目の前の情報によって、文をどのように理解するかが変わるのです。①の絵のときはリンゴが単純な目的語(リンゴを何も載っていないタオルに置く)なのか、あるいは修飾句 (タオルの上にあるリンゴを次に指示される場所に移動する)なのか、どちらに解釈したらよいかを迷っていることがわかります。②の絵のときは「リンゴを何も載っていないタオルに移動して箱に入れる」と解釈できます。つまり、目の動きを観察することで、あいまいに解釈されそうな箇所をどう決定しているかがわかるのです。このように「同じ文を聞かせても、目の前の情報によって解釈が異なる」ということは、「簡単な構造を最初に組み立てる」という最小付加の法則と反します。それは、人がいろいろな情報を利用して、文を理解しようとしているからなのです。

ここで思い出してほしいのが、Ferreira & Clifton (1986)の研究です。彼らは、「袋小路文を理解する際に、意味的な情報を利用しない」とはっきり主張しています。では Tanenhaus たちの眼球運動の計測結果ををどう説明するのでしょうか？

これに対し、Trueswell et al. (1994)は「意味のつながりがそれほど強くなかったから、違った結果となったのではないか」と主張しています。

(14) 弁護士が昨日公園で相撲取りに銃をあげた。

このような文では単語間の意味のつながりが強くないため、Ferreira & Clifton (1986)では結果が出てこなかったと、Trueswell et al. (1994)は主張しています。お風呂、シャンプー、石鹸など、強い意味的につながりがあるものが使われていたら、意味を考慮して文を理解するのではないか、といわれています。つまり、実験に使用する文での単語の選び方によって結果が左右されるのです。また、眼球運動計測ひとつをとっても、「読む時間を測る」「読み返した回数を調べる」「最初に見た箇所の時間がどれくらいだったかをみる」というように、さまざまな計測方法が存在していたことも実験結果が異なる原因だといわれています。

このように、文理解の研究はさまざまに発展してきました。最新の研究も進み、以前とは異なる結果が出ることもあります。そのような結果に対して「議論」する方法もたくさんあります。では最終的に、文を理解するうえで「構造のみを理解するのか」「意味も含めて理解するのか」、どちらが正しいのでしょうか？現段階ではまだ、どちらが絶対に正しいとはいえません。ここ 10 年では袋小路モデルに対する風当たりはとても強いといわれています(ハーレイ 2018)。それは結局、「文を理解するということは単純な作業ではないから」といえるでしょう。

問題

1. 以下は英語の「袋小路文」の例です。

① Since Jay always jogs a mile seems like a very short distance to him.

② Since Jay always jogs a mile this seems like a very short distance to him.

(Frazier & Rayner 1982)

(1) ①には「一時的に可能な 2 通りの解釈」があります。「一時的に誤って選択されると思われる解釈」と、「最終的に正しい解釈」がそれぞれどういうものか説明してください。

(2) ①よりも②の解釈が容易だと思われるのはなぜかを説明してください。

読書案内

東京大学言語情報科学専攻 (編) (2011)『言語科学の世界へ ── ことばの不思議を体験する 45 題』東京大学出版会.

ハーレイ，トレヴァー (著)，川﨑恵里子 (監訳) (2018)『心理言語学を語る ── ことばへの科学的アプローチ』誠信書房.

引用文献

Bever, Thomas G. (1970) "The Cognitive Basis for Linguistic Structures." In J. R. Hayes (Ed.), *Cognition and the Development of Language*, 279–362. Hoboken, New Jersey: John Wiley.

Boland, Julie E., Tanenhaus, Michael K. & Garnsey, Susan M. (1990) "Evidence for the Immediate Use of Verb Control Information in Sentence Processing." *Journal of Memory and Language*, 29, 413–432.

Crain, Stephen & Steedman, Mark J. (1985) "On not being led up the garden path: The use of context by the psychological parser." In David R. Dowty, Lauri Karttunen & Arnold M. Zwicky (Eds.), *Natural Language Parsing*, 320–358. Cambridge: Cambridge University Press.

Ferreira, Fernanda & Clifton, Charles (1986) "The Independence of Syntactic Processing." *Journal of Memory and Language*, 25, 348–368.

Frazier, Lyn & Rayner, Keith (1982) "Making and Correcting Errors during Sentence Comprehension: Eye Movements in the Analysis of Structurally Ambiguous Sentences." *Cognitive Psychology*, 14(2), 178–210.

Tanenhaus, Michael K., Spivey-Knowlton, Michael J., Eberhard, Kathleen M. & Sedivy, Julie C. (1995) "Integration of Visual and Linguistic Information in Spoken Language Comprehension." *Science*, 268(5217), 1632–34.

Taraban, Roman & McClelland, James L. (1988) "Constituent Attachment and Thematic Role Assignment in Sentence Processing: Influences of Content-Based Expectations." *Journal of Memory and Language*, 27, 597–632.

Traxler, Matthew J. (2011) *Introduction to Psycholinguistics: Understanding Language Science*. Hoboken, New Jersey: Wiley-Blackwell.

Trueswell, John C., Tanenhaus, Michael K. & Garnsey, Susan M. (1994) "Semantic Influences On Parsing: Use of Thematic Role Information in Syntactic Ambiguity Resolution." *Journal of Memory and Language*, 33(3), 285–318.

絵文録ことのは「語中がデタラメでも英文は読める」
http://www.kotono8.com/2003/09/20randomize_letters.html（2020年7月16日確認）

コラム 5 第一言語獲得と第二言語習得

生まれたばかりの赤ちゃんは泣いたり叫んだりしますが、言葉を話したり理解したりすることはできません。しかし数年経つと、急に言葉を理解できるようになります。どうしてこのようなことが可能になるのでしょうか？

実は赤ちゃんはさまざまな言葉を聞き分けることができるといわれています。そして、赤ちゃんは人のまねをしながら言葉を身につけていき、わたしたちおとながあまり教えなくても十分な言葉を身につけて、2～3 歳あたりで「突然」言葉を話すようになります。このように、言葉を自然と身につけることができる時期を「臨界期（critical period）」と呼びます。

また、米国の言語学者チョムスキー（Noam Chomsky）は、わたしたちの頭にはもともと言葉を話せる仕組みがあって、それがある時期から活性化すると提唱しました（Chomsky 1957）。そのもともと頭の中にある言葉の仕組みを「普遍文法（Universal Grammar, 略 UG）」といいますが、赤ちゃんはこの普遍文法を利用して、生まれた環境などに特化された言葉を身につけていくのだと推測されています（White 2003）。

そして、先ほど述べた自然に言葉を身につけることができる「臨界期」をのがしてしまうと、言葉を完璧に習得するのがむずかしくなるとされています。言葉に限らず、何かをいちばんうまく習得できる時期は子どものころなのです。ドイツの言語学者レネバーグ（Eric Lenneberg）は、第一言語獲得について「臨界期は 5 歳くらいで、それよりあとになるほど習得することがむずかしくなる」と主張しています（Lenneberg 1967）。つまり、臨界期の研究は「わたしたちが幼児期の初めには、単語しか話せなかったのに急に文を話せるようになっていくのはなぜか」を解明することにつながるのです。人は幼児期に自然に言葉を習得していくので、この理論を証明するのはとてもむずかしいとされていたのですが、「隔離児」と呼ばれる人びとがこの理論を説明する可能性を示しました（Curtiss 1977）。隔離児というのは、人間社会の中には存在していても、すべての関係を遮断された(＝隔離された)環境で育った子どものことをいうのですが、この隔離児たちは普通の子どもが言葉を習得する時期に全く言葉に触れる機会がなかったために言葉の習得に困難がみられたことから、臨界期を過ぎると言葉を習得することが困難になる例として取り上げられました。隔離児には言葉以外の障害もあったのではないか、という反論もありますが、臨界期という理論が大きく進んだきっかけといえるでしょう。

隔離児の例は第一言語獲得の臨界期についてでしたが、それでは臨界期は第二言語習得にも存在するのだろうか？ という疑問が出てきます。「年齢が高くなるほど第二言語を習得しにくくなる」とか、「母語話者のようには習得できなくなる」とはよくいわれています。英国の言語学者シングルトン (David Singleton) は「第二言語習得は若ければ若いほどよい」という説明をしています (Singleton 1995)。

第二言語にも臨界期が存在すると主張した、非常に有名な研究が Johnson & Newport (1989) です。移民に対してアメリカ移住時の年齢ごとに文法性判断力をテストしましたが、年齢が若いほどミスが少ないということを発見し、第二言語習得にも臨界期(11〜12 歳あたりまで)は存在するのだとまとめています。しかし第二言語習得について、「年齢は無関係 (Singleton 1995)」「臨界期は母語話者のような発音ができるかどうかにだけ関係する (Flege 1999)」「モチベーションなどのほうがより大事 (Robertson 2002)」などと否定する学者もいます。

第一言語獲得、第二言語習得の臨界期の存在については、まだ明確な結論が出ていませんが、今後ヒトの言語習得の過程がさらに解明されていくうちにきっと明らかになっていくでしょう。

読書案内

白井恭弘 (2015)『外国語学習の科学 ── 第二言語習得論とは何か』(岩波新書) 岩波書店.

ピンカー，スティーブン(著)，椋田直子(訳) (1995)『言語を生みだす本能 (上・下)』(NHK ブックス) NHK 出版.

引用文献

Chomsky, Noam (1957) *Syntactic structures*. The Hague: Mouton.

Curtiss, Susan (1977) *Genie: A Psycholinguistic Study of a Modern-Day "Wild Child"*. Cambridge, Massachusetts: Academic Press.

Flege, James E. (1999) "Age of Learning and Second Language Speech". In D. Birdsong (Ed.), *Second Language Acquisition and the Critical Period Hypothesis*, 101-131. Mahwah, New Jersey: Lawrence Erlbaum.

Johnson, Jacqueline S. & Newport, Elissa L. (1989) "Critical period effects in second language learning: The influence of maturational state on the acquisition of English as a second language". *Cognitive Psychology*, 21(1), 60–99.

Lenneberg, Eric H. (1967) *The biological foundations of language*. New York: Wiley.

Robertson, Paul (2002) "The Critical Age Hypothesis, a critique of research methodology". *The Asian EFL Journal*, 4(1) . Retrieved from http://www.asian-efl-journal.com/main-editions-new/the-critical-age-hypothesis-a-critique-of-research-methodology/ (2021 年 5 月 23 日確認)

Singleton, David (1995) *Language Acquisition: The Age Factor*. Clevedon, UK: Multilingual Matters.

White, Lydia (2003) *Second Language Acquisition and Universal Grammar*. Cambridge: Cambridge University Press.

第 14 章　文産出（心理言語学 2）

この章で学ぶキーワード

言い間違い、語彙化、レンマ、舌先現象、プライミング

14.1　人はなぜ単語や文を話すことができるのか —— 語や文の産出

人間は、残念ながらいろんな失敗をしてしまいます。なぜこんなミスをしてしまったのだろうと思うこともしばしばです。ですが、だれにでも起こる失敗は、それがどんなものであれ、なんらかの形でカバーしなくてはいけません。そして、その失敗が「話すこと」で起こると、話し手が伝えたい内容を聞いている人が理解できなくなる場合があるのです。

でも、だいじょうぶ。聞き手にはある程度の「許容範囲」があるので、心配しなくてよいこともあります。ためしに次の文を読んでください。

(1)　ダダ　猫　ダダ　馬　ダダ　追う

皆さんはこの文をどう理解しますか？ おそらく、「ダダという単語の意味はわからないが、そのほかの単語の意味はわかる。わからない単語を無視すると、"猫が馬を追いかけた" と言いたいのかな？」と少々強引に理解するでしょう。もしよくわからない単語があっても、聞き手はある程度想像をはたらかせて文を理解しようとするので、話し手の意図を理解するだけなら、必ずしも文法的に 100% 正しい文である必要はないのです。

しかし、話し手にはこのような「許容範囲」というものが存在しません。図 1 の絵を説明してみてください。

図 1

たとえば、この絵を説明するのに、「追う猫、馬…」と単語を並べただけでは自分の考えていることを言い表わすことはできません。“猫が馬を追いかける”とはっきり言わなくては伝わらないのです。また、ここで「馬が猫を追いかける」のように猫と馬の位置が変わってしまうと、それだけで意味が全く変わってしまいます。このように単語の順番を変えてしまったり、あるいは間違った言葉を使ってしまったりすると、伝えたいことを正確に伝えられなくなってしまうのです。ですから、話し手は聞き手と違って、細かな点にまで気を配らなくてはいけないのです。

もちろん、「話すこと」にも、文を理解することと同じように不確定要素は存在します。その不確定要素とは、何を話すかを完璧に決めてから話す必要はない、ということです。そして、話している最中に「どこまで話そう？」と考えることもまずありません。もし、「わたしはこの会話でこれとこれとこれをここまで話す」といつも考えていたなら、ふだんの会話はスムーズなものとはかけ離れたものとなるはずです。ですから、「わたしたちはどのように言葉を話しているのか」という疑問に答えるのは非常にむずかしいのです。

もし、心理言語学の研究を大きく「文理解」と「文産出」に分けた場合、「文産出」の研究は 10～20% ほどしかありません。それだけ、「文産出」について調べるのはむずかしいということです。それに対し、「文理解」の研究は 80～90% で、研究しやすいということになります。文理解の研究がやりやすい理由は、文理解の研究は第 13 章でみてきたように、用意された文を読んでもらうだけでよいからです。そして、文を読んでいるときにどのような反応があるかを調べれば、文を理解するときに何が起きているかがわかります（13.6 参照）。

しかし文産出はそうはいきません。たとえば、「書かれたことを声に出して読む」のでは産出にはなりません。それは、書く時点で既に産出になってしまっているからです。ですから、「伝えたいことを言葉にして話す」というプロセスを、なんらかの形で「擬似的に」作りあげることは事実上不可能に近いのです。

14.2　言い間違いが起きてしまうのはなぜか

文産出の研究は、文理解に比べると遅れていましたが、1970 年代から大きく進んでいきます。そして、その研究は、言い間違いの分析と心理実験の 2 つに分かれて進んでいきました。ここではまず言い間違いについて触れます。

なぜ言い間違いに関する研究が進展したかというと、それはわたしたちが話したことがおかしかったときに「なにかおかしいことが起こっているはず」と逆算して考えることができるからです。つまり、「椅子」と言うべきところを「机」と言ってしまった場合、話し手の頭の中では、同じ「家具」というカテゴリーで関連づけられて、「椅子」や「本棚」という単語にまで反応しているのではないかと予想できるのです。これは、わたしたちが言葉を話すときにどのようなことが起こっているかを調べることができるという点で非常に有効です。また言い間違いは、人が実際に話している生のデータなので、人が何を話そうとしているのかを理解するうえでも重要な意味があります。そのような観点から、言い間違いからみていくことにします。

まず、次の例のどこが間違っているかを考えてみてください。

(2)　理路騒然としてて、いいんじゃないですか？
「ラーメンの味は？」「こっそり味で！」
あれってでっこんでるね
もたれるチーズをください！
オーストラリアの東にある、ニュージニアって国？
(病院で)「お見合いにきたのですが」
(けがの治療で)リハリビしましょう
ざっくらばんに語りましょう
(会社で)「担当の A はまだ出所しておりません」

　このように、口がすべって、言うつもりのこととは違うことを言っていることがあります。そして、皆さんに考えてもらったように、本当に言いたかったことはなにかを研究することで、わたしたちがどのようにして言葉を話しているのかがわかるのです。それを非常にうまく説明したエラー（言い間違い）の例があります。まずは、どこがおかしいかを考えてみてください。

（3） A maniac for weekends（週末のためのマニア）（ハーレイ 2018）

本当は「A weekend for maniacs（マニアのための週末）」と言いたかったのですが、なぜこのような言い間違いが起きたのでしょうか。まずここで「maniac と weekend が交換されて起こったエラーだ」といえるかと思います。しかし、さらに大事なのは、すべてが交換されたわけではないということです。よく見ると、もともと「maniac」に付いていた複数形の「s」だけがその場に残されて、交換された単語の weekend にくっついていますね。単語は交換されているのに、「s」だけは残っているという不思議な例です。またさらに驚くことは、音声的な違いです。maniacs と weekends という単語を発音してみてください。「マニアックス」と「ウィーケンズ」になりますよね。語末の s の音が「ス [s]」と「ズ [z]」なのです。

　多くの場合、言い間違いの原因を探すのはかなり大変です。疲れていた、眠たかった、注意していなかったなどのように、言語以外の理由がたくさんあるからです。しかし、(3) の例では、言い間違いの原因について比較的はっきりとした説明ができています。

　それでは次は、日本語の例で、エラーの分析をしていきましょう。(4) の例ではどこが間違っているでしょうか？

（4） a. 購入額は 300 万ですか、いいだしょう！
　　b. この踊っている人がジャイケル・マクソンですよね？
　　c. （小雨の日に）今日カメだけどカサはささなくていいかな？
　　d. （携帯電話を持って）時間で言うと、深夜に時間するのはよくない
　　e. スーパーでとうもこしを見つけた
　　f. この話は、ながせばはない

わかりましたか？ それでは、1つずつ説明していきましょう。

a. 購入額は300万ですか、いいだしょう！
　(言いたかった文：購入額は300万ですか、いいでしょう！)
[「いいでしょう」と「いいだろう」が混じってしまった「混合のエラー」だと考えられています。]

b. この踊っている人がジャイケル・マクソンですよね？
　(言いたかった文：この踊っている人がマイケル・ジャクソンですよね？)
[「ジャ」と「マ」が入れ替わってしまった「頭音転換のエラー」だと考えられています。]

c. (小雨の日に)今日カメだけどカサはささなくていいかな？
　(言いたかった文：今日アメ(雨)だけどカサはささなくていいかな？)
[アメのあとにカサ(傘)という単語があるので、「早とちり」して「カメ」となったのではないかといわれています。これを「先行のエラー」といいます。]

d. (携帯電話を持って)時間で言うと、深夜に時間するのはよくない
　(言いたかった文：時間で言うと、深夜に電話するのはよくない)
[前述の「時間」がそのまま持続してしまって、「電話」が「時間」に入れ替わってしまったと考えられます。これは「保続のエラー」と呼びます。]

e. スーパーでとうもこしを見つけた
　(言いたかった文：スーパーでとうもろこしを見つけた)
[単に「とうもろこし」の「ろ」が削除されてしまった「削除のエラー」です。]

f. この話は、ながせばはない
　(言いたかった文：この話は、はなせばながい)
[2つの単語「はなす」と「ながい」の語幹が入れ替わっている「交換のエラー」と呼ばれます。]

このように、言い間違いにはいろんな種類があるので、どのタイプのエラーなのかを調べるのは簡単なことではありません。ですが、言い間違いの多くは、いわゆる音声ミスだといわれています。

そして、その中でも、たとえば英語の swollen が swolled になるような、単語の語尾での言い間違いが多いようです。また、言い間違いの 10% を占める単語の置換では、言いたかった単語と反対の意味の単語に置き換えられるのだそうです。もちろん、こうした現象を説明したからといって、「なぜこのようなミスが起きるのか？」という原因まで探れるわけではありません。なぜかと言えば、エラーの原因は複雑で、1 つの理由だけでは説明できないからです。

先ほど、(4f) の「ながせばはない」というエラーは、「交換のエラー」だといいましたが、単に「はな」と「なが」の音が入れ替わっただけなので、「頭音転換のエラー」ではないのか？ と主張する人もいます。言い間違いの原因を探ることは非常にむずかしいのですが、言い間違えを研究することがわたしたちがどのようにして言葉を話すのかを明らかにするヒントになることは間違いありません。

(3) の A maniac for weekends では、「単語を選ぶ」作業と「文法を選ぶ」作業は別に行なわれていることがわかりました。また、言い間違いをするのは全く普通のことなので、そんなことは気にせずに、わたしたちは頭に浮かんだことを次々に話していくのです。もし、完璧な文しか話せないのなら、わたしたちの会話は「沈黙」の連続になってしまいます。それでは会話を続けることができません。ですから、ミスをしても、思い浮かんだことをどんどん話していくのがわたしたちの「言葉の産出」というシステムだということがわかっています。これについては 14.3 で触れます。

「サタンサマダサ」のように、言いたかったこと (「サマンサタバサ」) とは違うことを伝えてしまったり、ほかの単語と混ざってしまったりするようなエラーも存在します。そこからさらに詳しくみていかなくてはいけないのは、「その言い間違いは、わたしたちが話す過程のなかの「いつ」「どの箇所」でおかしなことが起きたのか」ということです。

「交換のエラー」をみていきましょう。このエラーは単に 2 つの単語を入れ替える「交換」ということだけでなく、非常に重要なポイントが 2 つあります。

① 入れ替わる２つの単語は「同じ種類」であること
② 音声のエラーと単語のエラーとでは、うける「制約」が異なるということ

①について解説します。まず、単語には２種類あることに気づかなくてはいけません。それは内容語と機能語です。内容語は意味的な役割を果たすもので、名詞、動詞、形容詞、副詞などがあります。これらには非常に多くの単語が含まれるので、時々新しい単語にでくわすこともあります。機能語は文法的な役割を果たすもので、冠詞、前置詞、接続詞、関係詞、疑問詞、代名詞などがあります。機能語はよく使われていますが、それほど多くの単語があるわけではなく、新しい単語が生まれることはあまりありません。

さて、ここで重要なのは、内容語は内容語のみと交換され、例外はないということです。これは何を意味しているのでしょうか？ つまり、内容語と機能語は別の種類なので、内容語が機能語と交換されることはないということです。ですから、もしお互いに交換されないのなら、どちらかが内容語で、もう一方が機能語だともいえます。

次に②について解説します。音声のエラーは交換される単語と単語の距離[1]に制約され、単語のタイプ[2]には制約されません。一方、単語のエラーは単語のタイプに制約され、単語の距離には制約されません。

「サタンサマダサ（サマンサタバサ）」のような、音声のエラーでは、ほかの語の割り込み（嵌入《かんにゅう》といいます）が起きるので、割り込む単語と割り込まれる単語が近くになければなりません。ですから、直前直後か、１つ単語をおいて隣、そして同じ節にあるときが多いのです。

その一方で、単語のエラーでは、「アルバイトに行くために留学をやめます（留学に行くためにアルバイトをやめます）」のように、比較的離れた距離にある単語との交換が起こることがあります。ですが、交換が起こるのは、名詞は名詞と、動詞は動詞と　というように、同じ品詞の内容語の間でだけなのです。つまり、音声のエラーと単語のエラーは全く別の制約のもとに起きているのです。

---

1 単語間の距離が近いか、離れているか、ということ。
2 ここでは、同じ品詞かどうか、ということ。

14.3　文を話すことができるしくみ —— 文産出のモデル

今までみてきた交換のエラーについては、なぜこのようなエラーが起こるのか、どういう条件のときに起こるのか、といったことが見えてきました。同じように、人がどのように言葉を話しているかという過程を明らかにした人がいます。米国の言語学者フロムキン（Victoria Fromkin）と米国の心理学者ガレット（Merrill Garrett）です。それではこの２人が作り上げた文産出のモデルをみていきましょう。

最初に、ひとつひとつの単語をどのように発話しているか、というレベルをみていきます。実は、「リンゴ」を見て、それを「リンゴ」と発話するまでには、非常に長くて複雑なプロセスが存在します。ここで、先ほどの内容語の話に戻りましょう。わたしたちが言葉の意味を考えて音にすることを**語彙化**（lexicalization）といいますが、その語彙化のプロセスは次のとおりです。

図２　語彙化のプロセスのイメージ

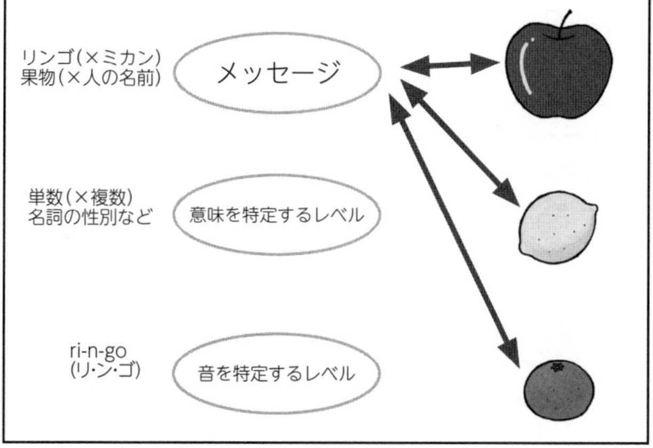

「メッセージ」のレベルでは、「リンゴ」は「リンゴ」というべきで、「レモン」や「ミカン」というのではないと決める作業が必要です。次に、意味を特定するレベルで「リンゴ」は(英語の場合)数えられる名詞かそうでないかを決める作業が必要です。それに加えて、名詞の性別(男性名詞か女性名詞かなど)を決

める作業が必要な言語もあります。さらに音を特定するレベルで、「リンゴ」の発音は(日本語の場合)「リンゴ」であって、「インゴ」ではないと決める作業も必要です。つまり、語彙化には図２のように、意味と音を別々に取り出す２つの別々のプロセスがあるのです。

このように考えると、なぜ交換のエラーが起こるかがわかるはずです。交換のエラーには、意味が似ているために起きるエラー(例：そこのテレビ(リモコン)とって)と、音が似ていて起きたエラー(例：え、そんま(ほんま)に?)がありますが、意味が似ているから音のエラーとなったり、音が似ているから意味のエラーになったりするといったことはありません。それは、「意味を特定するレベル」と「音を特定するレベル」という２つが完全に分かれているからなのです。

さて、ここまで「意味を特定するレベル」と「音を特定するレベル」という２つのレベルでのプロセスを説明してきましたが、単語の発話にはこの２つのプロセスだけでは十分ではありません。ここまでは、図２のように、「メッセージ」→「意味を特定するレベル」→「音を特定するレベル」というレベルでプロセスを説明してきましたが、最新の理論では、「意味を特定するレベル」と「音を特定するレベル」の間に存在するレベルを「**レンマ**[3] (lemma)」と考えています (Levelt 1989)。ですから人は単語を意味 (semantics)、レンマ、音を特定するレベル (word-form) という流れで発話すると考えるのです。

図３　単語の発話プロセス

かつては、語彙・意味と、音声のほかには何もないと思われていたレベルですが、現在は多くの研究者がほかにも何か存在すると指摘しています。これは何を意味しているかというと、「言葉を話す」ということは「何かを認識する」のとは異なる作業なので、言葉として発話するためには、何かを認識するだけでなく、正しい意味や、正しい文法的要素、そして正しい音声を含んだ単語を選ぶ、というややこしい作業も必要だということです。そのようにして単

[3] レンマとは単語の統語的情報を含んだものと考えられています。

語を選んだあと、わたしたちは言いたいことをいきなり音へと変換するのではなく、その語の意味と統語（または文法的）属性を決定するレベルに進みます。レンマは単語が発音できる前のレベルです。そしてここで大事なことは、レンマというレベルと、音を特定するレベルという2つのレベルが別々に存在しているということです（図3参照）。それは「舌先現象」といわれる現象によって明らかになったのですが、舌先現象については次の14.4で説明します。

14.4 「名前が思い出せない」のはなぜか —— 舌先現象のデータからわかること

きっとだれでも、名前を思い出せない、という経験があると思います。これは**舌先現象** (tip of the tongue phenomenon) といわれるものです。Tip of the tongue というのは何かを思い出せないときに、「舌の先まで出かかっているのに...」という英語的な表現です。日本語では「喉まで出かかっている」という表現になるものです。

イタリアの心理実験学者ヴィグリオッコ (Gabriella Vigliocco) は、絵を説明させる実験を行ない、イタリア人被験者がこの舌先現象の状態のときに、「名前はわからなくても、その単語の性別[4]はわかりますか？」「その単語が数えられる名詞かそうでないかわかりますか？」と聞きました (Vigliocco et al. 1997)。すると、単語の名前は発話できなくても、「その性別（男性名詞、女性名詞、中性名詞）はわかる」「数えられる名詞かそうではないかはわかる」と答える人が多かったそうです。舌先現象であっても性別や可算/不可算がわかるということは、単語の文法的な要素まではアクセスしているけれども、発音だけができていないという状態を指します。つまり、レンマまではアクセスできているけれども、音を特定するレベルにはアクセスできていないということです。よってレンマとほかのレベルが別に存在するという強い証拠で、また、意味や文法的な要素は音を特定するレベルの前に存在するという証拠にもなり、非常に大きな発見とされました。（注：これに対して「実験の方法によって結果は異なる」(Caramazza 1997) という反論もあることを付け加えておきます）。

---

[4] 英語や日本語には単語の性別はありませんが、フランス語やイタリア語、ドイツ語には性別があります。

ここまではいろいろな観点から単語の産出についてみてきましたが、今度は文の産出についてみてみましょう。文を産出するには長い過程を経ていますが、単語の産出と同じように３つの大きなレベルがあると考えられています。それはメッセージ、文法・語彙形成（Formulation）、音韻形成（Articulation）です。

しかし、この３つのレベルからなるプロセスのなかで、「文法・語彙形成」というレベルがどのように処理されているのかはまだ明らかになっていません。ここではこのレベルについて説明していきます。次の文を読んでみましょう。

(5)　杖が魔法使いをつつく

文を産出する際、多くの人が「物よりも人を先に産出する」傾向にあることがわかっています。ですから、(5)の「杖が魔法使いをつつく」は「魔法使いが杖につつかれる」のように「態」を、または「魔法使いを杖がつつく」のように「語順」を変化させた文になることがよくあります。それは(5)のような物を主語にした表現を嫌う傾向にあるからです。そのため、同じ内容で「人を先に産出する文」にするために、文法が影響をうけているのです。特に今回は「人」か「物」という概念がメッセージのレベルで作られていると仮定すると、その概念が「態」と「語順」の選択に影響を与えているので、文法・語彙形成のレベルでは態と語順を同時に作成しているのではないのか？ と予測できます(Tanaka et al. 2011)。

14.5 「何かを繰り返す」ことからわかる、人の発話方法 ―― 心理実験とプライミング

ここからはプライミングという現象によって文産出のしくみがどこまで明らかになっていったのかを話していきます。

最近の心理言語学での文産出の研究は、言い間違いの分析よりも調べたい内容をもっと効率よくみることができる心理実験が重視されています。「効率がよい」というのは、分析する会話が出てくるのをただ待つよりも、文を産出する環境なら調べたい例をたくさん作ることができるからです。これは心理実験という形で実施されていて、そこで発見されたプライミングという現象について

説明していきます。

わたしたちは当然ひとりで話をしているわけではなく、ほかの人と話すことで自分の言いたいことを伝えます。そのとき、相手の言っていることやしぐさ、過去の経験、そして自分で言ったことにも大きく影響をうけます。具体的にみていきましょう。

他人に影響されることは日常茶飯事です。しゃべり方をまねしたり、だれかの服装をまねたりするのも、他人の影響です。この「まねをする」ということは、すなわち何かを繰り返すということになるのですが、その何かの繰返しは、日常ではよくあることで、生活の基盤となっているものです。わたしたちは何かを無意識に繰り返すことで、さまざまなことを学習していくのです。ですから、もしそれができないとなると、とても困ってしまいます。その意味で、わたしたちは過去の言動などに大きく影響をうけているといえます。この現象を**プライミング**（priming）と呼びます。

プライミングは心理学においてもとても重要な現象とされています。その影響の具体例を簡単に説明しましょう。たとえば、学生に「シャンデリア」と 10 回唱えさせて、そのあとすぐに「毒リンゴを食べて眠ったお姫様は？」と聞くと、「シンデレラ」と答える学生が必ずいます（答えは白雪姫ですよね？）。「シンデレラ」に近い発音の単語を繰り返したために影響された例です。このように、以前からの概念や、聞いたこと、見たことなどがそのあとの行動に大きく影響を及ぼします。これらは一種の「プライミング」と呼んでよいでしょう。

なぜこの話をしたかというと、「プライミング」はふだんの会話でも起こりうる現象だからです。次の 2 つの会話を読んで、どのような特徴があるか、考えてみてください。

(6)　a.「今日お店は何時から開いていますか？」
　　 b.「6 時からです」
(7)　a.「あのお店は何時開店ですか？」
　　 b.「7 時です」

(6a)の「何時から」の質問には、(6b)で「6 時から」と「から」を使って答えています。「から」を使った質問には「から」を使わないと答えられないのです。対照的に、「から」を使わない(7a)の質問には、(7b)のように「から」を使わずに答えています。つまり、答えが質問の構造に影響をうけていることがわかります。

このように、会話の中で同じ文法形式を繰り返す理由はさまざまですが、「影響をうけているから」や「わかりやすいから」などが考えられます。会話でのプライミングは文法を繰り返すという形で現われることがよくあり、それも無意識のうちに起こっているのです。

先ほども述べましたが、会話はひとりで行なうものではないので、二人で会話するときはお互いが影響し合いながら話をします。ですから、会話はさまざまな段階でプライミングが起きながら進んでいくのです。これが3人での会話になると、さらに影響をうける人が増えて複雑になっていくことは想像できると思います。

そして、この会話でのプライミングのように、人はさまざまな影響をうけながら、言葉を理解し産出していくものなのです。

問題

1. Vigliocco et al. (1997) の大きな発見とはどういうことか説明してください。なお、説明にはキーワードとして舌先現象を入れてください。

2. 次の2つの会話でのプライミングを説明してみましょう。

(1) A: But can you go to sleep tonight? (でも今夜は寝られる？)

B: How am I going to sleep tonight? (どうやったら今夜寝られるの？)

(Schenkein 1980)

(2) A:「今日はわたしが食べたいお店に行きますよ。」
B:「いいですよ。でも明日はわたしが行きたいところに連れて行ってくださいね。」

pp. 208–209(2)の解答

理路整然としてて、いいんじゃないですか？
「ラーメンの味は？」「こってり味で！」
あれってでっぱってるね
モッツァレラチーズをください！
オーストラリアの東にある、ニュージーランドって国？
(病院で)「お見舞いにきたのですが」
(けがの治療で)リハビリしましょう
ざっくばらんに語りましょう
(会社で)「担当の A はまだ出社しておりません」

読書案内

寺尾康 (2002)『言い間違いはどうして起こる？』(もっと知りたい！ 日本語) 岩波書店.
ハーレイ，トレヴァー(著)，川﨑惠里子(監訳) (2018)『心理言語学を語る ―― ことばへの科学的アプローチ』誠信書房.

引用文献

Caramazza, Alfonso (1997) "How Many Levels of Processing Are There in Lexical Access?" *Cognitive Neuropsychology*, 14, 177-208.

Fromkin, Victoria A. (1971) "The non-anomalous nature of anomalous utterances." *Language*, 47, 27-52.

Garrett, Merrill F. (1980) "Levels of processing in sentence production." In B. Butterworth (Ed.), *Language production, Vol. I: Speech and Talk*, 177-221. London: Academic Press.

Levelt, Williem J.M. (1989) *Speaking: From Intention to Articulation*. Cambridge, Massachusetts: MIT press.

Schenkein, Jim (1980) "A taxonomy for repeating action sequences in natural conversation." In B. Butterworth (Ed.), *Language production, Vol. 1: Speech and Talk*, 21-47. London: Academic Press.

Tanaka, Mikihiro N., Branigan, Holly P., McLean, Janet F. & Pickering, Martin J. (2011) "Conceptual influences on word order and voice in sentence production: Evidence from Japanese." *Journal of Memory and Language*, 65(3), 318-330.

Vigliocco, Gabriella, Antonini, Tiziana & Garrett, Merrill F. (1997) "Grammatical Gender Is on the Tip of Italian Tongues." *Psychological Science*, 8(4), 314-317.

解答

第 1 章 はじめに ── ようこそ言語学の世界へ

1. 正しい記述は(3) (4) (6)。

   (1) (2) (5) (7)については、以下の理由により正しくない。

   (1) (2)：文字をもたない言語や、規範的ではない言葉づかいも言語学の研究対象となる。

   (5)：本文で挙げた旧ユーゴスラビア連邦の言語のように、政治的な理由などによってそれまで 1 つの言語だったものに新たな名称が与えられることもありうる。

   (7)：言語数としては SOV 言語が最多だが、話者数については英語と中国語を含む SVO 言語が最多となる。

2. (1) 心理言語学(言語心理学)では、言語習得の問題も扱う。質問の現象には言語習得の臨界期がかかわっている(コラム 5 参照)。

   (2) 統語論では文の内部構造について能動態、受動態、使役態といったヴォイス(態)の問題を整理する。「(ビルを)建てる」が他動詞であるのに対し、「(雨が)降る」は自動詞であり、日本語では自動詞の受動態のほとんどが迷惑の意味を伴う。ここでの正解は統語論だが、英語では自動詞は受動態にならないという点では、対照言語学の守備範囲とも考えられる。

   (3) 音韻論における音位転換の例として説明できる。ちなみに NHK が 2018 年に行なった「雰囲気」の読み方についての調査では、全体の約 2 割が「フインキともいう」と回答している。

   NHK 放送文化研究所「「雰囲気」は[フインキ]？ [フンイキ]？」
   https://www.nhk.or.jp/bunken/research/kotoba/20181101_3.html (2021 年 4 月 28 日確認)

   (4) 意味論が扱う比喩のうちのメトニミー、つまり近接性による換喩として説明できる現象である。ここでは「野球帽(をかぶった客)」と解釈できる。「シェイクスピアを読む」「今日のホルンは最高だったね」などというのも同様の表現。

   (5) 対照言語学では、異なる言語の間にみられる音声、語彙、文法の違いを

研究する。日本語の「薬を飲む」は韓国・朝鮮語では「약을 먹는다」(薬を食べる)と表現する。

第2章 音の作り方(音声学)

1. (例1)英語の [l] と [ɹ]: 英語の [l] は有声歯茎側面接近音、英語の [ɹ] は有声歯茎接近音。どちらも有声で(V)、調音位置が歯茎であること(P)が同じ。相違点は [l] が(呼気が舌の片側または両側を通る)側面接近音なのに対し、[ɹ] が(呼気が舌の中心に沿って通る)接近音である点(M)。ただし、どちらも妨害の度合いが少ない接近音であるという意味では、M にも共通点はある。
   (例2)日本語「ふ」の出だしの [ɸ] と英語の [f]: 日本語の [ɸ] は無声両唇摩擦音、英語の [f] は無声唇歯摩擦音。共通点はどちらも無声音で(V)、調音方法が摩擦音であること(M)。違うのは調音位置(P)で、[ɸ] は両唇音なのに対し、[f] は唇歯音であること。ただし、どちらも唇を使うという意味では、唇音である。
2. (1)すべて有声音。
   (2)すべて唇を使う音。([p, m, b] は両唇を閉じる音で、[u] は唇を丸める音。)
   (3)すべて歯茎音。
   (4)たとえば、[f, h, z, ð] の場合、共通点はすべて摩擦音であること。
3. [子音のペアの例] 柿—活気、補佐—発作、咳—石器
   [母音のペアの例] 舞—間合い、手記—周期、おじ—王子
   (ただし、ペアによってはアクセント型の違いがある点に注意)
4. 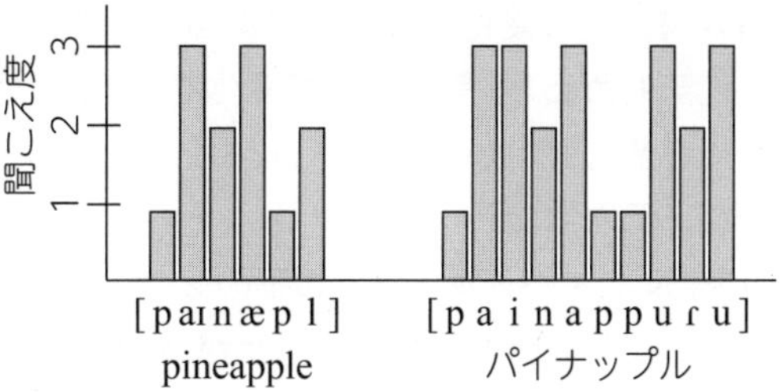

英語の pineapple は、聞こえ度のグラフからわかるように 3 音節(ただし、最後の音節の中心は母音ではなく [l])。日本語のパイナップルは 4 音節。日本語母語話者の感覚だと、通常 音節ではなくモーラで数えるため 6 つに分けると感じる(「パイ」は 2 モーラ、「ッ」は独立した 1 モーラと数える)。

5. ベトナム語やヨルバ語など。アジアやアフリカの言語に多い。

第 3 章 音の使い方（音韻論）

1. 以下は解答例であって、ほかにも多くの正解が考えられる。

   (1) 英語

   /m/—/n/ team—teen　　/l/—/p/ hill—hip　　/t/—/h/ tie—high

   /aɪ/—/e/ night—net　　/eɪ/—/iː/ hate—heat

   (2) 日本語(ただし、ペアによってはアクセント型の違いがある点に注意)

   /k/—/s/ 赤—朝　　/t/—/h/ 鯛—はい　　/w/—/n/ 枠—泣く

   /a/—/u/ 網—海　　/e/—/i/ 円—院

2. 母音が短く発音される左の単語の共通点は、母音のあとの子音にある。英語では、母音のあとに無声子音(例：/p, k, f, t, s, tʃ/)が続くと、母音が短くなる規則がある。これを、「V → V(短くなる)／ __ [－有声性]」と表わすこともできる。

3. 例としては、次のような語がある。

   夜空(よぞら)、青写真(あおじゃしん)、笑い声(わらいごえ)、
   巻き寿司(まきずし)、文庫本(ぶんこぼん)、色紙(いろがみ)、
   雪景色(ゆきげしき)、上り坂(のぼりざか)、日傘(ひがさ)

   日本語の連濁とは、無声音が有声音に変化することである(例：/k/ → /g/, /t/ → /d/)。素性で示すと[－有声性]から[＋有声性]への変化であると説明できる。連濁にはほかにも多くの要因がかかわっている。「ライマンの法則(Lyman's Law)」なども調べてみるとよい。

4. 英語には頭子音を 2 つもつ単語はたくさんあるが、以下の 2 つのグループに分けることができる。グループ 1 の特徴は最初の子音が /s/ であること(/s/＋C)、グループ 2 の特徴は 2 つ目の子音が /l, r, j, w/ のどれかであるということ(C＋/l, r, j, w/)がわかる。

グループ1：speak, stay, ski, sphere, smell, snake, sleep, sweet など
グループ2：play, pride, try, dream, cry, clean, three, fly, view, muse, twin, quick など

5.（1）New York City

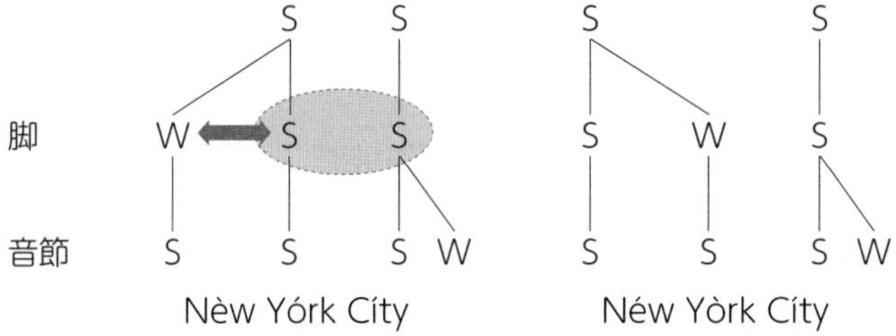

（a）強勢移動前　（b）強勢移動後

（2）afternoon tea

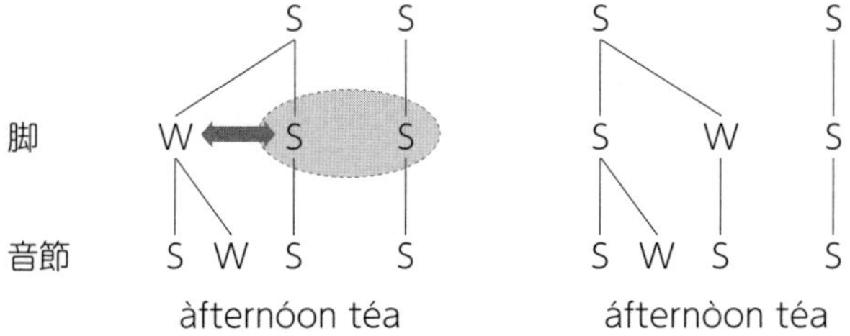

（a）強勢移動前　（b）強勢移動後

（3）academic year

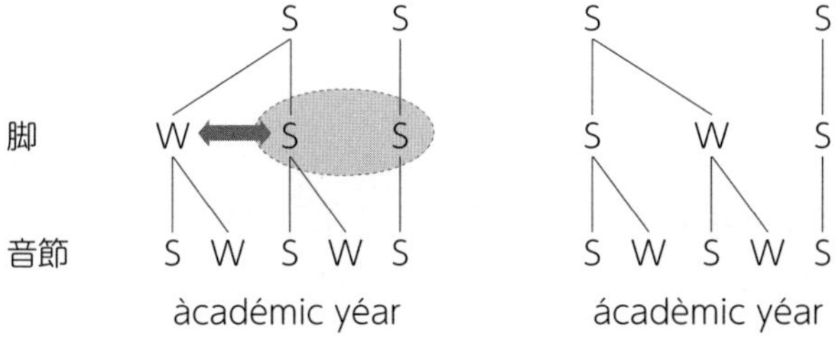

（a）強勢移動前　（b）強勢移動後

第４章 単語のしくみ（形態論・語彙論）

1. 解答は以下のとおり。派生語で下線を引いた部分が接辞（接頭辞・接尾辞）にあたる。

(a) 単純語	きゅうり、たけのこ、まぶた、整える
(b) 複合語	計画経済、行き帰り、人づき合い、手書き、重ね重ね
(c) 派生語	積極的、生ハム、プチ整形、所帯じみる、本格派、未開封、没交渉

このうち「たけのこ」は分類を迷う人がいるかもしれない。「竹の子」と書くと３つの形態素に分けられそうだが、「筍《たけのこ》」ならひとまとまりの単純語という印象になるだろう。これは現代語の感覚では、もはや複合語という意識が消えてしまっている例といえる。実は「まぶた」も同様で、語源的には「目《ま》蓋」であるが、音が変化していること（ふた→ぶた）、「瞼《まぶた》」という別の表記があてられることから気づかれにくくなっている。ほかにも「まつげ（目＋つ＋毛）」、「ほのお」（火＋の＋穂）」、「みなと（水＋の＋門）」などの類例がある。

2. 以下は解答例のごく一部である。

(1) ダウン（ジャケット）、生（ビール）、アスパラ（ガス）

(2) （ひとり）ぼっち、（横）ハマ、（プラット）ホーム

(3) 卒（業）論（文）、ブレ（ーン）スト（ーミング）

(4) ER (emergency room)、TOEIC (Test of English for International Communication)

3. 味覚を表わす語としては「まったり」「こっくり」などが挙げられる。一方、食感を表わす擬態語は「もちもち」「もっちり」「ふわとろ」「ぷにぷに」など、食の好みの変化に応じて新たに追加されている。

第５章 意味の世界（意味論 1）

1.

	同音異義語	多義語
①「取る」「撮る」		○
②「書く」「掻く」	○	
③「凧」「蛸」	○	
④「上げる」「揚げる」	△	△
⑤「(軽)トラック」「トラック(競技)」	○	

①〜④はすべて同じ語源をもつペアであるが、現代の語の感覚で別語ととらえるのが一般的な②(「先のとがったもので表面をひっかく」が元の意味)および③(「凧」は長いしっぽをつけた様子がタコ(蛸)に似ていることからその名がついたもの)は同音異義語とした。④は個人の感覚で意見が分かれる例であるため、両方に△をつけておいた。このように同音異義語と多義語の境界線ははっきりしない場合があり、また国語辞典によって扱いも異なる。⑤は日本語では同音だが、truck(貨物自動車)と track(競走路)は別語であり、発音も異なる。

なお、語源情報が詳しい国語辞典としては、大学や公共の図書館に所蔵されていることが多い『日本国語大辞典 第二版』(小学館)をおすすめする。

2. (1)たとえば「頭」を国語辞典で引くと、以下のような例が見つかるだろう。

メタファー：「釘の頭」「チームの頭に据える」「頭から否定してかかる」など

メトニミー：「頭を使う」「頭が古い」「頭をそろえる」など

(2) たとえば身体部位に「頭」を選んだ場合、英和辞典で head を引いて比較することになる。以下に例を示す。

メタファー：the head of a bed（ベッドの頭）、head of state（元首）、the head of the Nile（ナイル川の源）

メトニミー：use one’s head（頭を使う）、I have no head for languages.（外国語は苦手だ。）、$2 a head（一人につき２ドル）

（以上すべて 研究社『新英和大辞典（第６版）』）

[日本語と英語での違い]

「頭」と head については、日本語と英語とで共通する例が多くみられる。ただし、「〜の源」「頭が古い」のように片方の言語でしか使わない例もある。また規模の大きい辞典に掲載される「生命、命」の意味[1]も日本語の「頭」にはないメトニミーの例である。

3.

		分類
① ひく	a かぜをひく	い
	b 定規で線を引く	あ
	c てぐすねをひく	う
② のむ	a かたずをのむ	う
	b ジュースを飲む	あ
	c 条件をのむ	い
③ つかむ	a 吊革をつかむ	あ
	b こつをつかむ	い
	c おぼれる者はわらをもつかむ	う
④ 鼻	a 鼻をさわる	あ
	b 木で鼻をくくる	う
	c 鼻をかむ	い
⑤ 花	a 花が咲く	い
	b 花を買う	あ
	c 花よりだんご	う

[1] It cost him his head.（それをして彼は命を落とした。）（研究社『新英和大辞典（第６版）』より）

第 6 章 単語間の意味関係（意味論 2）

1.

	(1) 違い	(2) 類例
a	行為の方法の相違 (「歩く」は必ず片方の足が地面についているのに対して、「走る」は両足が地面から離れていることがある。)	焼く／炒める 包む／巻く
b	目的の相違 (「磨く」は見ばえや感触、「研ぐ」は切れ味をよくすることが目的。)	伝える／教える 貸す／預ける
c	対象の相違 (「食べる／飲む」は飲食物の形状が異なる。)	弾く／吹く／たたく 着る／かぶる／はく
d	それを感じる部位の相違 (「冷たい」は手や足など身体の一部で感じる温度であるのに対し、「寒い」は全身で感じる。)	熱い／暑い 温かい／暖かい
e	材料・原料の相違 (それぞれ、そば粉、小麦粉、うるち米が主原料である。)	鉛筆／ペン カップ／グラス
f	同じ物質で、発生する場所の相違。 (「雲」は上空に、「霧」は地表付近に浮遊している。)	霜／つらら
g	目的や視点の相違。 (「つかむ」は、手の中におさめて逃がさないようにする行為で、その瞬間的な動きに焦点があるのに対し、「にぎる」は、物を手の中におさめたままにするという継続的な動きを指す。)	あがる／のぼる 超える／越す

2.

	語群	類例
(1) 相補的な関係	④⑧	「同じ／違う」
(2) 程度性の違いによる関係	①⑩	「速い／遅い」
(3) 逆方向の動きを表わす関係	②⑤	「入る／出る」
(4) 視点の相違による関係	⑥⑨	「教える／教わる」
(5) 互いに相手の存在を前提とした関係	③⑦	「親／子」

3. 「対面販売」と「通信販売」、「デーゲーム」と「ナイトゲーム」などの例があります。

第7章 文のしくみ（統語論1）

1. 解答はいろいろと考えられるのでここでは特に示さないが、考えた例をほかの人に示して、自分が意図した2通りの解釈にとってもらえるかどうかを試してみるとよい。
2. 日本語の「は」は、主題化の助詞であると考えられている。主題とは、その文において述べる内容である。たとえば、(1)の文における「わたしは」は主題、「釣りが好きです」は叙述と呼ばれ、主題が主語になっている。一方、(2)において「水泳は」は主題だが、(3)の最初の文のように主語を補うことができることからもわかるように、主語ではない。ここでは、「好きではない」の対象になっている。

第8章 文の意味（統語論2）

1. ら抜き言葉は可能の意味でしか使わない。(1)は、「食べることができる」という「可能」の意味をもった「られる」なので、「ら」を抜いて「食べれる」ということができる。(2)は「受け身」の意味の「食べられる」なので、ら抜き言葉にすることはできない。
2. (1) You must brush your teeth every morning.
   (2) You should not break your promise.

第９章　談話のしくみ（語用論 1）

1. （1）・別れたボーイフレンドに電話をしようとする友人に
・ブラックだといううわさのある会社でアルバイトを始めるという友人に

（2）・楽しみにしていた映画がテレビで放映される時間になって
・毎晩おきまりのようにけんかをするご近所の夫婦がいる。いつも大きな声でけんかが始まる時間が近づいて

（3）・ご近所さんが、ビシッとスーツを着て出かける姿を見て
・子どもと散歩中、飛行機が飛んでいるのを見つけて

2. （here の例 1）

（Mrs Brown が Mr Brown に）

“Oh, Henry, what *shall* we do? We can’t leave him here. There’s no knowing what might happen to him. London’s such a big place when you’ve nowhere to go. Can’t he come and stay with us for a few days?”　（*shall* のイタリックは出典に拠る）

この場面で Mrs Brown は、クマのパディントンを駅に置き去りにできないと Mr Brown に訴えている。ロンドンは大都市であり、行き場所がないのは気の毒であるため、うちに何日か置いてあげましょうと提案している。このなかで here とは、ブラウン夫妻とクマのパディントンが出会ったパディントン駅を指す。

（here の例 2）

There was a large bed with white sheets against one wall and several big boxes, one with a mirror on it. Judy pulled open a drawer in one of the boxes. “This is called a chest of drawers,” she said. “You’ll be able to keep all your things in here.”

この場面では Judy がクマのパディントンに、彼が使う部屋を見せている。部屋にはベッドのほかに鏡ののった棚がある。Judy は棚のひきだしを開け、物をしまうことができるのだと教えてあげている。here は自分の物をしまっておける棚のひきだしを指す。

（どちらも *A Bear Called Paddington* より）

3. ［文法的結束性の例］

① he（2 行目）はクマのパディントンを指す。

② that（2 行目）は前文の内容「ブラウン夫妻がパディントンと出会ったのが駅だった」を指す。

③ for（3 行目）は「なぜならば」という意味で、因果関係を示す接続の表現として使われている。

④ their（4 行目）はブラウン夫妻を指す。

［語彙的結束性の例］

① railway platform（1 行目）、station（3、6 行目）はどちらも駅に関係する単語である。

② The Browns（4 行目）とは Mr and Mrs Brown のことである。

③ the station（6 行目）は Paddington 駅のことである。

4. ［文法的結束性の例］

①「ふたり」（1 行目）は、前文の「王さまとお妃さま」を指す。

②「お妃さまに話しかけました」（6 行目）の主語はカエルだが、省略されている。

③「カエルのいったこと」（9 行目）とは、「一年たたないうちにさずかります」という内容を指す。

④「それ」（11 行目）とは、「おいわいのさかもり」を指す。

［語彙的結束性の例］

① お妃さま（と王さま）の子どもであるため、「お姫さま」（7 行目）という言葉を使っている。

②「まじないをする女たち」（12 行目）は「仙女」と同義語である。

第10章 会話のしくみ（語用論 2）

1. まず、日本語の例を 2 つ挙げる。(1) は平叙文を使った依頼である。桃太郎からおじいさんとおばあさんへの依頼であるため「～ください」という丁寧な表現を使っている。(2) は文タイプとしては疑問文である。見知らぬ人への急な依頼であるため「まことにすまないことでございますが」という前置きもある丁寧な表現である。

(1) だから、ある日のことです。桃太郎が、おじいさんおばあさんにいいました。「おじいさん、おばあさん、ぼくが鬼ガ島へ鬼退治に行きます。おべんとうにきびだんごをつくってください。」

(『日本むかしばなし集(一)』「桃太郎」より)

(2)「あの、この先の町に知りあいの人がありまして、わたしはその方をたずねてきた者でございます。それがこのような大雪になりまして、日も暮れますし、道もわかりませず、ほんとうに、難儀をいたしておりまする。それで、まことにすまないことでございますが、土間か、物置のすみでもよろしゅうございますが、今夜一晩、おたくにとめてくださいませんでしょうか。」

(『日本むかしばなし集(一)』「ツルの恩がえし」より)

※上記 2 点の出典については第 9 章の引用文献を参照

次に、英語の例を 3 つ挙げる。(1) は見知らぬ人どうしの会話であり、Yes-No 疑問文を用いた依頼の例である。友人どうしの会話である (2) では、平叙文を用いて依頼をしており、better get me a half の前に you had が省略されている。(3) はホテル宿泊客のウェイターに対する依頼である。文タイプとしては Yes-No 疑問文であり、Could you do me a favour という前置きや、try to という表現から丁寧さが示されている。

(1) 映画スターの Anna に Thief がサインを依頼している場面

Thief: Can I have your autograph? (サインをいただけますか ?)

(2) カプチーノを買ってきてくれるという友人 Martin に、William がハーフサイズを依頼

Martin: Shall I go get a cappuccino? Ease the pain. (カプチーノでも買ってこようか ? 気が休まるから。)

William: Yes, better get me a half. All I can afford. (あぁ、でもハーフサイズにしてくれ。それしか余裕がないんだ。)

(3) 映画俳優 Jeff が、たまたま居合わせた William のことをホテルのウェイターだと勘違いしてサービスを依頼。William は話を合わせている。

Jeff: Oh great. Could you do me a favour and try to get us some really cold water up here? (それはありがたい。それじゃ頼むが、よく冷えた水を持ってきてくれないか ?)

William: I'll see what I can do. (かしこまりました。)

（例と日本語訳はすべて『ノッティングヒルの恋人』より）

2. A さんは、高校時代からの友人 B さんのことで悩んでいる。B さんは以前からわがままで、A さんのことを利用しようとしたりするので困っているのだと、A さんが別の友人 C さんに話すと、C さんが一言：
   「(B さんは)いい友だちだね」
   実際は、B さんは A さんにとって「いい友だち」ではなく、その反対なので、質の格率に違反することで皮肉をこめている。
3. a 挨拶―b 挨拶、d 質問―e 回答、f 質問―g 回答、h 招待(誘い)―i 拒否がそれぞれ隣接ペアを形成している。c の依頼に対する言語の返答はないが「サインをする」という行為が受諾を示している。
4. （解答例は特に示さない）

言いよどみや言い直しなども含めて、細かく丁寧に書き起こすことがポイント。話者交替がスムーズに行なわれたか、また何をきっかけに話者交替をしているかを確認してみる。もし話者交替がうまくいっていない箇所があれば、その理由を考えてみるとよいだろう。

第11章 言語のバリエーション（社会言語学 1）

1. 次のような例がある。
   「(おなかが)起きる」…おなかがいっぱいである（讃岐弁）
   「おどろく」…目が覚める（青森県、島根県など）
2. 次のような例がある。
   「痛い」…「ぶざまで見ていられない」という意味で使う。
   例）いい歳をして、あのメイクは痛い。
   「寒い」…「全くおもしろくない」という意味で使う。
   例）超寒いおやじギャグ

第12章 言葉と変化（社会言語学 2）

1. 大学生の場合、高校時代は使っていたが、大学生になってからは使わないという単語があるようだ。たとえば、筆者の担当したクラスで、受講している大学生たちに尋ねたところ、高校時代は自分のことを「ウチ」と言っていたが、大学生になってからは使わないと答えた学生がいた。理由は幼い感じがするということのようであった。

2. スチュワーデス ⇒ 客室乗務員、保母 ⇒ 保育士、助産婦 ⇒ 助産師　など

第13章 文理解（心理言語学 1）

1. (1) a mile という名詞を主節の主語にすべきか (a mile seems . . .)、jogs の補語と解釈すべきか (jogs a mile . . .)、あいまい性が生じる。a mile を補語として読んでいく (Jay はいつも 1 マイル走るので) と、seems の主語がないことに気づき、ここで再解析を行なって、a mile は seems の主語になると解釈できる (Jay はいつも走っているので、1 マイルは...)。
   (2) ②では、seems の前に this という代名詞が前置されているので、a mile が jogs の補語であることにあいまい性が生じず、①のように再解析が必要とならないので文の理解が容易となる。

第14章 文産出（心理言語学 2）

1. イタリア語話者が舌先現象になった際、そのうちの多くの人がその単語の性別を理解していたことで、単語の文法要素まではアクセスできているが、発音情報まではアクセスできていないことがわかった。よって、人間の発話モデルにおいては、レンマと音を特定するレベルが別々に存在することが発見された。
2. (1) B の返答の going to sleep tonight の部分が、A の発話の go to sleep tonight に影響された繰返しになっている。
   (2) B の返答の「明日はわたしが行きたいところに」の部分が、A の発話の「今日はわたしが食べたいお店に」に影響された繰返しになっている。

索引

あ行

あいづち（back channel） 157
あいまい文（ambiguity sentence） 188
アクセント（accent） 34
脚（foot） 51, 52, 53
アスペクト（aspect） 124, 128
アフリカ系アメリカ英語（African American Vernacular English） 176–177
アラビア文字 16
言い間違い 208–209
異音（allophone） 42, 44
異綴同音異義語 77
一時的なあいまい文（temporary ambiguity） 189
一貫性（coherence） 138
イディオム 86
イニシャリズム（initialism） 67
異分析（metanalysis） 68
意味論（semantics） 9
韻（rhyme） 50
インダス文字 16
咽頭音 27
イントネーション（intonation） 37
隠喩 80
ヴォイス（voice） 120
永続性 58
絵文字 61
円唇母音（rounded vowel） 29
エンブレム（emblem） 106
応用言語学（applied linguistics） 11
遅い閉鎖法則 193
男言葉 167
オノマトペ（onomatopoeia） 71
音韻規則（phonological rule） 48
音韻論（phonology） 7, 8
音声学（phonetics） 7
音声的類似性（phonetic similarity） 44
音節（syllable） 31–34, 49–50
音節拍リズム（syllable-timed rhythm） 35
音素（phoneme） 42
音素配列論（phonotactics） 51
女言葉 167

か行

階級方言 167
下位語（hyponym） 90, 91
概念メタファー（conceptual metaphor） 81
外来語 69, 76
会話の含意（conversational implicature） 149
会話分析 154
書き言葉 58
ガ行子音 175
核（nucleus） 50
格（case） 113
隔離児 203–204
格率（maxim） 150
隠れた方言 171
活動動詞（activity verb） 126
カテゴリー（category） 100
眼球運動 196
眼球運動計測（eye movement task） 197
関係の格率 150
漢語 69, 76
間接発話行為（indirect speech act） 149
嵌入 212
換喩 82
慣用句 86
気音（aspiration） 28
擬音語 71
聞こえ度（sonority） 32, 33
擬声語 71
擬態語 71
契丹文字 18
義務のモダリティ 129
逆成（back-formation） 65
牛耕式 19
吸着音（click） 22

共起テクスト (co-text) 133
強弱格 (trochaic) 36
強勢 (stress) 35
強勢移動 (stress shift) 51, 52, 53
強勢拍リズム (stress-timed rhythm) 36
協調の原理 (cooperative principle) 150
許容範囲 206
距離 58
ギリシャ文字 16
キリル文字 16
空間直示 (place deixis, spatial deixis) 136
楔形文字 16
唇 24
屈折語 (inflectional language) 6
クランベリー形態素 (cranberry morpheme) 63
クレオール (creole) 176
形態素 (morpheme) 62
形態論 (morphology) 9
結束性 (cohesion) 59, 139
言語計画 (language planning) 178
言語政策 (language policy) 178
言語接触 176, 183
言語相対論 12
言語変種 170, 171
言語類型論 3
語彙化 (lexicalization) 213
語彙的結束性 139
語彙密度 59
口蓋垂 (uvula) 24
口蓋垂音 27
交換のエラー 210–212
硬口蓋 (hard palate) 24
硬口蓋音 27
甲骨文字 16
構成素 (constituent) 109
後舌母音 (back vowel) 29
拘束形態素 (bound morpheme) 63
膠着語 (agglutinative language) 6
喉頭 (larynx) 22, 24
後部歯茎音 27
構文解析 187
高母音 (high vowel) 29
後方照応 (cataphora) 139
公用語 (official language) 177
コード切り替え (code switching) 169
コーパス計画 (corpus planning) 178
コーパス言語学 (corpus linguistics) 11
呼気 (expiration) 22
国語 177
国際音声記号 (IPA) 26
語形成 (word-formation) 64
語根 (root) 63
語根創造 (root creation) 71
語種 68, 92
語族 (language family) 5
語派 (branch) 5
語用論 (pragmatics) 9
孤立語 (isolating language) 6
コロケーション (collocation) 85
混合のエラー 210
混成 (blending) 67

さ行

再解析 (reanalysis) 190
最小対 (minimal pair) 43
最小付加の法則 193
削除のエラー 210
サピア・ウォーフの仮説 (Sapir-Whorf hypothesis) 12
子音 (consonant) 25
子音結合 (consonant cluster) 50
子音表 27
使役態 (causative voice) 121
ジェスチャー 105
ジェンダーフリー化 181
歯音 27
時間直示 (time deixis, temporal deixis) 136
歯茎 (alveolar ridge) 23, 24
歯茎音 27
死語 168
指示 (reference) 139
事象関連電位 (event related potentials) 196
辞書編纂学 (lexicography) 11
時制 122
事前準備 58

自然類（natural class） 46
舌（tongue） 24
舌先現象（tip of the tongue phenomenon） 215
質の格率 150
シネクドキー（synecdoche） 84
社会言語学（sociolinguistics） 10, 161
社会方言（social dialect） 162, 166-168
借用語（loanword） 68
自由形態素（free morpheme） 63
自由結合（free combination） 85
習得計画（acquisition planning） 178
修復（repair） 155
自由変異（free variation） 45
周辺言語 104
縮約（clipping） 66, 67
樹形図（tree diagram） 109, 110
受動態（passive voice） 120
上位語（hypernym） 90, 91
省略（ellipsis） 140
職業語 167
女真文字 18
新語 72
唇歯音 27
死んだ比喩（dead metaphor） 80
心理言語学（psycholinguistics） 11
遂行動詞（performative verb） 148
遂行文（performative sentence） 148
数（number） 111, 112
スタンプ 61
西夏文字 18
性差別を助長しない用語（non-sexist words） 180
正書法 178
生成文法（generative grammar） 111
声帯（vocal cords） 22, 23, 24
声調（tone） 36
声調言語（tone language） 36
声道（vocal tract） 23
声の有無（V） 25, 26
声門（glottis） 22
声門音 27
制約依存モデル（constraint-based model） 191
世界の英語（World Englishes） 180
接近音（approximant） 27-28
接辞（affix） 63
接続（conjunction） 140
接頭辞（prefix） 63
接尾辞（suffix） 63
先行のエラー 210
潜在的威信（covert prestige） 167
前舌母音（front vowel） 29
前方照応（anaphora） 139
相 124
造語法 64
相補分布（complementary distribution） 45
促音 28
側面接近音（lateral approximant） 27, 28
側面摩擦音（lateral fricative） 27, 28
祖語（protolanguage） 4
素性（feature） 45, 46, 47
そり舌音 27

た行

態 120
第一言語獲得 203-204
第一次基本母音（primary cardinal vowels） 30
対義語（antonym） 96
ダイグロシア（diglossia） 170
対照言語学（contrastive linguistics） 10
第二言語習得 203-204
タイ文字 16
代用（substitution） 140
対立分布（contrastive distribution） 44
多義語（polysemic word） 77, 78
タ形 123, 124
多言語使用 168
たたき音（tap） 27
単一言語使用者 169
単純語（simple word） 65
談話（discourse） 138
地域方言（regional dialect） 162-166
地位計画（status planning） 178
チベット文字 17
調音位置（P） 25, 26
調音器官（articulator） 23, 24

調音方法（M） 25, 26
直示（deixis） 135
直示表現（deictic expression） 59, 135
直接発話行為（direct speech act） 148
直喩（simile） 79
定（definite） 116
定性 116
テイタ形 124
ティフナグ文字 19
低母音（low vowel） 29
提喩 84
テイル形 124, 126
テクスト（text） 138
テンス（tense） 122, 128
転成 65
同位語（co-hyponym） 90, 91
頭音転換のエラー 210
同音異義語（homonym） 76
同音語（homophone） 76
同化（assimilation） 48
同義語（synonym） 94
同綴異義語（homograph） 77
同形異義語 77
統語構造（syntactic structure） 111
統語論（syntax） 9
動作主（agent） 120
頭子音（onset） 50
頭字語（acronym） 67
到達動詞（accomplishment verb） 126–127
トク・ピシン（Tok Pisin） 176

な行

内容語 59
長さ 28
軟口蓋（velum） 24
軟口蓋音 27
二言語使用（bilingualism） 169
二言語使用者 169
二重語（doublet） 70
二重母音（diphthong） 31
認識的モダリティ 128
人称（person） 113
人称直示（person deixis） 136
能動態（active voice） 120
ノンバーバルコミュニケーション 104
ノンバイナリー 114

は行

歯（teeth） 23, 24
パージング（parsing） 187
バイリンガル 169
破擦音（affricate） 28
パスパ文字 18
派生（derivation） 65
発言権（floor） 157
発語行為（locutionary act） 147
発語内行為（illocutionary act） 147
発語内の力（illocutionary force） 147
発語媒介行為（perlocutionary act） 147
発話行為（speech act） 146, 147
話し言葉 58
パラ言語 60, 61, 104
パラランゲージ（paralanguage） 104
バリエーション 161
破裂音（plosive） 27
パロール（parole） 2, 3
ヒエログリフ 16
非円唇母音（unronded vowel） 29
鼻音（nasal） 27
比較言語学（comparative linguistics） 10
尾子音（coda） 50
ピジン（pidgin） 176
ピッチ（pitch） 36
被動作主 120
被動者（patient） 120
人の文処理メカニズム 187
比喩 79
表音文字 16
表語文字 16
標準語（standard language） 178
品詞（part of speech） 111
複合（compounding） 65
複合語 65
袋小路文（garden-path sentence） 190
袋小路モデル（garden-path model） 191
不定（indefinite） 116
普遍文法（Universal Grammar） 203

プライミング（priming） 217-218
ふるえ音（trill） 27
プロトタイプ（prototype） 101
文法的結束性 139
文脈（context） 131
変異（variation） 161
変異理論（variation theory） 174
弁別的素性（distinctive feature） 45
母音（vowel） 25
母音図 30
母音の無声化（vowel devoicing） 47
法 128
妨害 25
抱合語（incorporating language） 6
法性 127
保続のエラー 210

ま行

摩擦音（fricative） 27
マンヤン文字 19
ムード（mood） 128
無声音（voiceless sound） 23
無声化（devoicing） 31
明喩 79
メタファー（metaphor） 80
メトニミー（metonymy） 82
モーラ（mora） 33-34
モーラ拍リズム（mora-timed rhythm） 35
モダリティ（modality） 127, 128
モノリンガル 169

や・ら・わ行

「やさしい日本語」 180, 184
有声音（voiced sound） 23
様態の格率 150
容認発音（Received Pronunciation） 174
読み時間計測（self-pace reading task） 197
ラテン文字 16
ら抜き言葉 129
ラング（langue） 2, 3
リズム（rhythm） 35
流行語 72
両唇（lips） 23
両唇音 27
量の格率 150
臨界期（critical period） 203-204
隣接ペア（adjacency pair） 155-156
類義語（synonym） 95
ル形 123, 124
歴史言語学（historical linguistics） 10
レトロニム（retronym） 98-100
連語 85
連帯意識（solidarity） 167
連濁 55
レンマ（lemma） 214
若者言葉 166-167, 176
和語 69, 76
話者交替（turn-taking） 157
和製語 67, 71

欧文

AAVE 177
H 変種 170-171
L 変種 170-171
RP 174
VPM 25

著者紹介

高橋留美(たかはし るみ)：第1章(4)、第7章、第8章、第11章、第12章、コラム4
昭和大学医学英語教育センター教授。東京外国語大学外国語学研究科ゲルマン系言語専攻英語学コース修了。専門は英語学、英語辞書学、社会言語学。主な著作：『社会のなかの言語 ── 現代 社会言語学入門』(共訳、三省堂)、『世界のことば100語辞典　ヨーロッパ編』(英語の項を執筆、三省堂)、『辞書学辞典』(訳者、研究社)。

大塚みさ(おおつか みさ)：第1章(1-3)、第4章、第5章、第6章、コラム1、コラム3
実践女子大学国際学部国際学科教授。早稲田大学大学院文学研究科博士課程単位取得退学。専門は日本語学(語彙論・意味論)。主な著作：*Dictionnaire Assimil Kernerman: Japonais* (*Japonais-Français, Français-Japonais*) (共編、Assimil)、『講座　ITと日本語研究7　ウェブによる情報収集』(第2章執筆、明治書院)、『計量国語学事典』(意味関連項目の一部を執筆、朝倉書店)。

杉本淳子(すぎもと じゅんこ)：第2章、第3章、第9章、第10章、コラム2
聖心女子大学英語文化コミュニケーション学科准教授。東京外国語大学大学院博士前期課程およびロンドン大学(UCL)大学院修士課程修了。東京外国語大学大学院博士後期課程満期退学。専門は英語音声学・音韻論、英語学。主な著作：『大人の英語発音講座〈新装復刊〉』(分担執筆、研究社)、『英語教師のための 音声指導Q&A』(共著、研究社)。

田中幹大(たなか みきひろ)：第13章、第14章、コラム5
立命館大学経営学部准教授。エディンバラ大学大学院博士課程修了。PhD in Psychology. 専門は心理言語学。主な著作：『パソコンがあればできる！ ことばの実験研究の方法 ── 容認性調査、読文・産出実験からコーパスまで』(第6章執筆、 ひつじ書房)、*Processing and Producing Head-final Structures* (Studies in Theoretical Psycholinguistics (38)) (第6章を共同執筆、Springer)。

やさしい言語学《げんごがく》

2021年6月30日　初版発行　　2024年4月10日　2刷発行

著者●高橋　留美（たかはし　るみ）
大塚　みさ（おおつか　みさ）
杉本　淳子（すぎもと　じゅんこ）
田中　幹大（たなか　みきひろ）

KENKYUSHA
〈検印省略〉

発行者●吉田尚志
印刷所●図書印刷株式会社
発行所●株式会社 研究社
〒102-8152 東京都千代田区富士見 2-11-3
電話　営業 03-3288-7777（代）　編集 03-3288-7711（代）
振替　00150-9-26710
https://www.kenkyusha.co.jp/

装丁・イラスト●タカオエリ
組版●研究社印刷株式会社

ISBN 978-4-327-37748-9 C0081　Printed in Japan